A-Z BOL[...]

Key to Maps

CHORLEY
Belmont
Hawkshaw
Limbrick
Charnock
Richard
Dunscar
Egerton **2** **3** **4** **5**
Greenmount
Coppull
Adlington **6** **7** **8** **9** **10** **11** **12** **13** **14** **15** Tottington
Horrocks Fold
Eagley
RIVINGTON
HORWICH
Barrow Bridge
Astley Bridge
Harwood
BURY
STANDISH
Blackrod **16** **17** **18** **19** **20** **21** **22** **23** **24** **25**
BOLTON
Ainsworth
Starling
Shevington
Aspull
Lostock Junction
Wingates **26** **27** **28** **29** **30** **31** **32** **33**
Hunger Hill
Daubhill
Little Lever
RADCLIFFE
WIGAN
WESTHOUGHTON
Over Hulton
FARNWORTH
Kearsley
WHITEFIELD
Lamberhead Green
Daisy Hill
HINDLEY **34** **35** **36** **37** **38** **39** **40** **41**
Little Hulton
Clifton
SWINTON
Scholes
Ince-in-Makerfield
Platt Bridge
ATHERTON
Walkden
Downall Green
Land Gate
Abram
Bryn
LEIGH
Bedford
Tyldesley
WORSLEY
Boothstown

0   1   2 Miles
0   1   2   3 Kilometres

Reference

Motorway	M61	Railway	Level Crossing Station	Church or Chapel †
A Road	A58	Built Up Area	WOOD ST.	Fire Station ■
B Road	B6226			Hospital **H**
Dual Carriageway		Local Authority Bndy.	– – –	House Numbers 83 96 A & B Roads only
One Way A Roads Traffic flow is indicated by a heavy line on the drivers' left.	→	Posttown Boundary		Information Centre 🛈
		Postcode Boundary Within Posttown	– – –	National Grid Reference ³70
Pedestrianized Road		Map Continuation	▲ 10	Police Station ▲
Restricted Access		Ambulance Station	✚	Post Office ★
Track/Footpath	= = = = =	Car Park	P	Toilet ▽

Scale

1:15,840
4 inches to 1 mile

0   ¼   ½   ¾ Mile
0   250   500   750 Metres   1 Kilometre

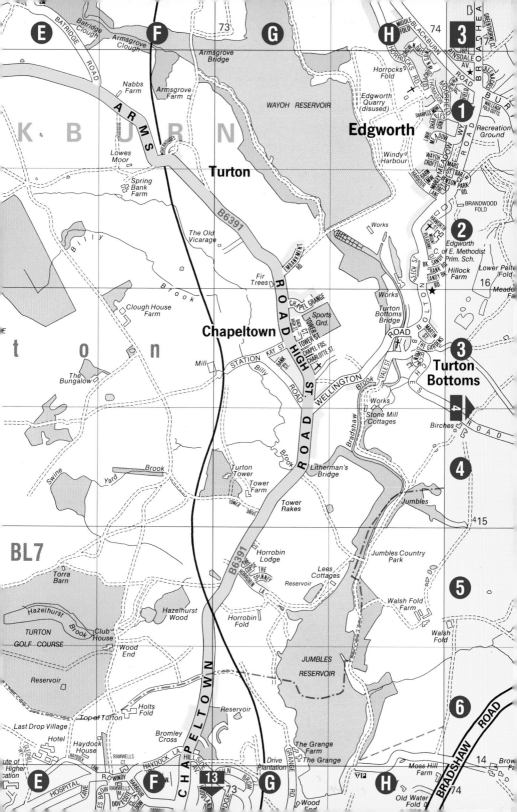

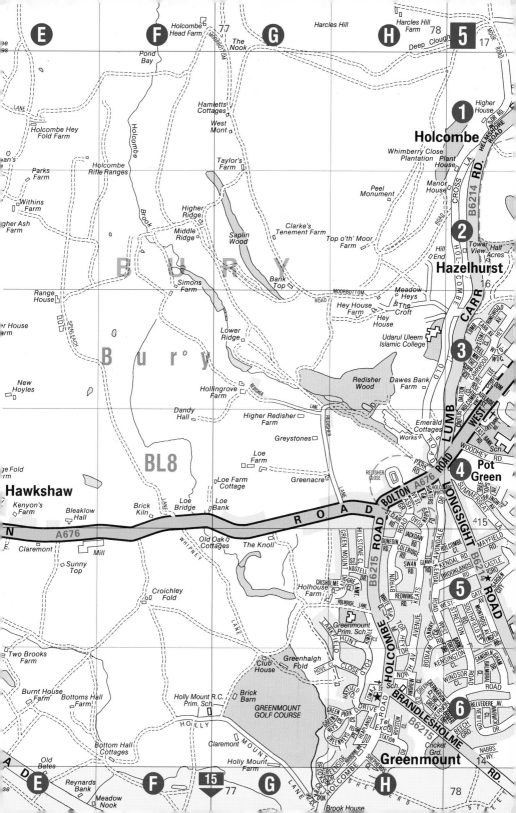

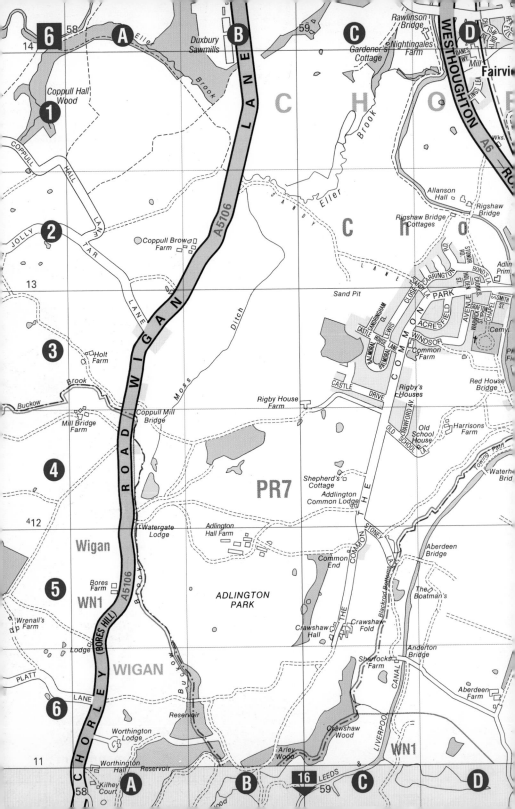

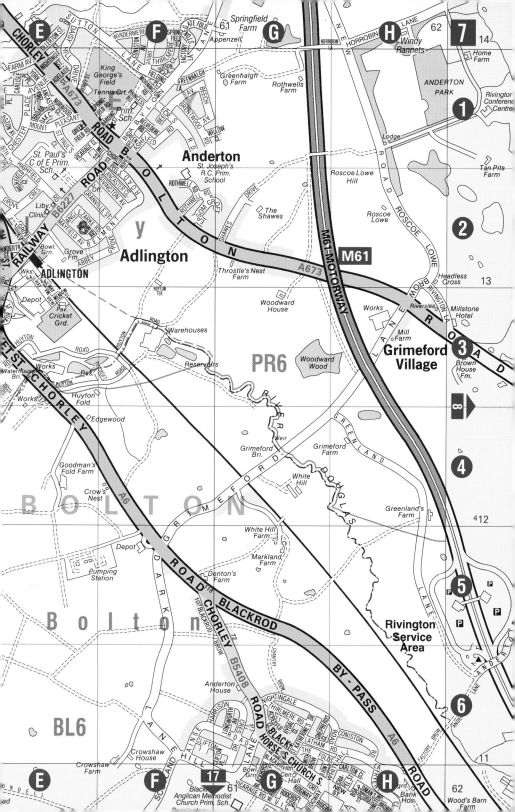

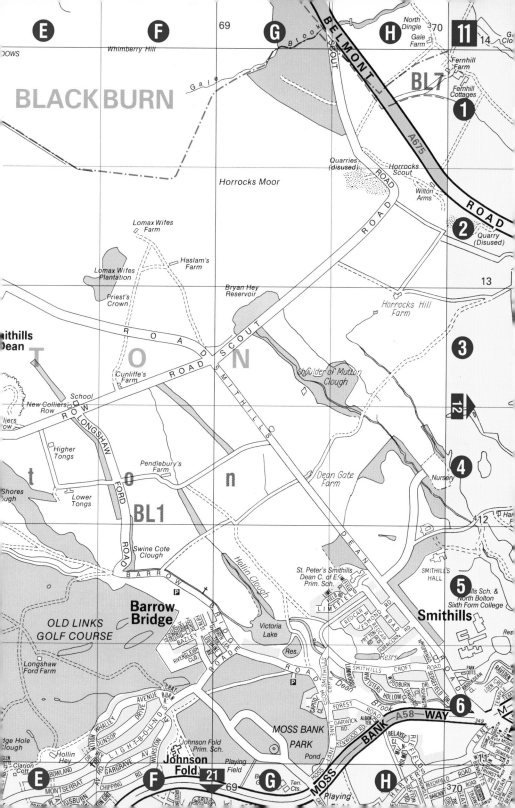

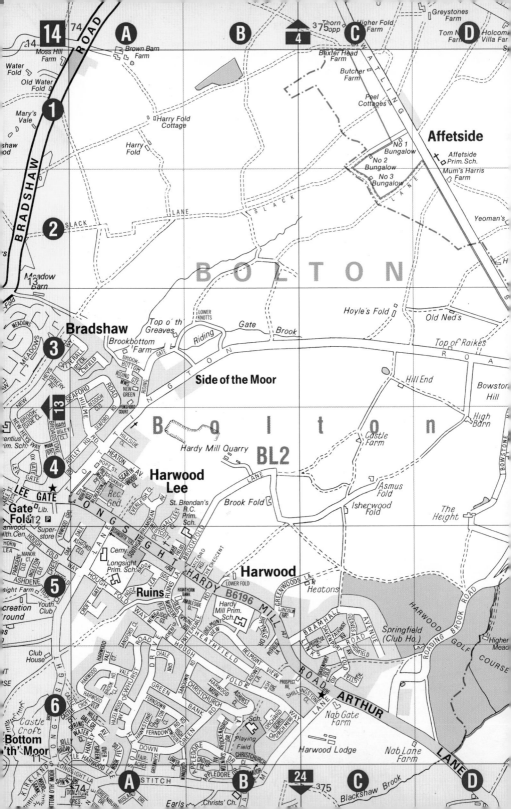

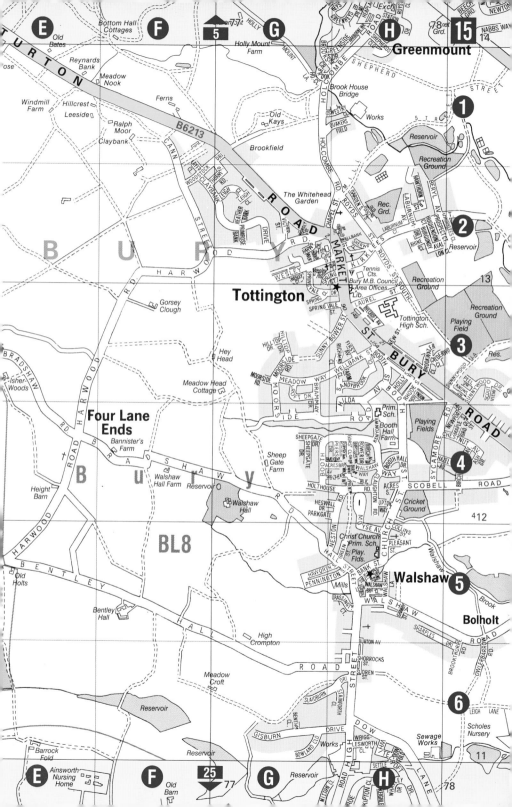

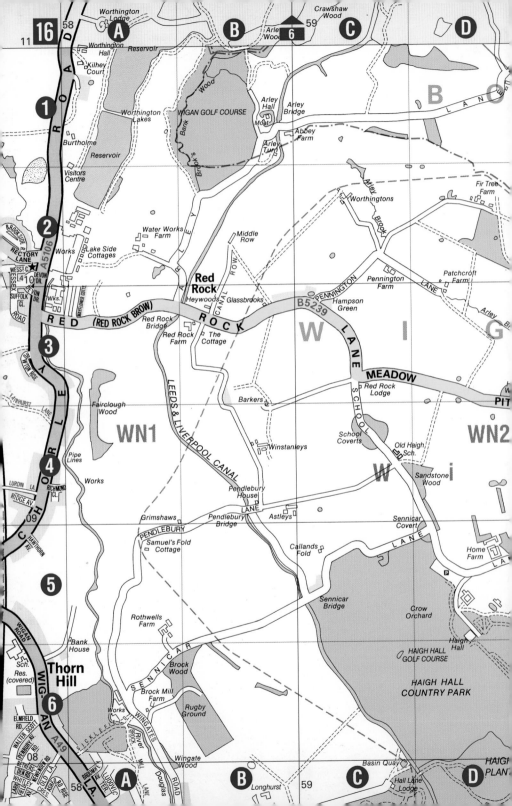

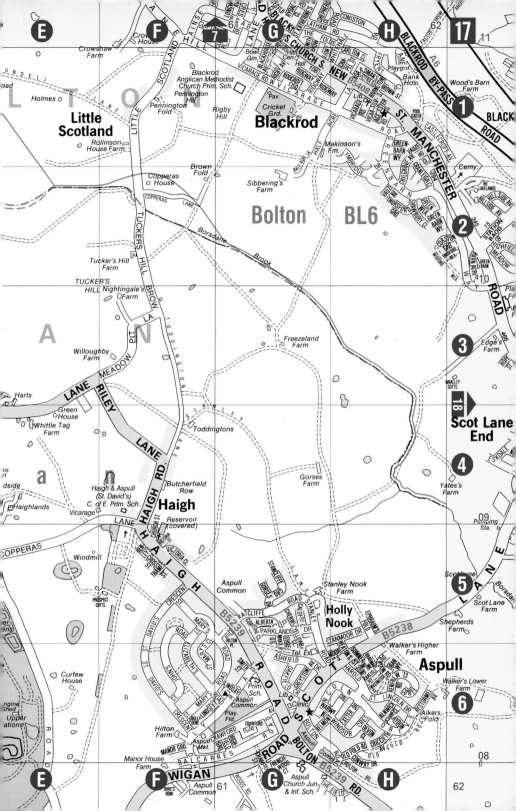

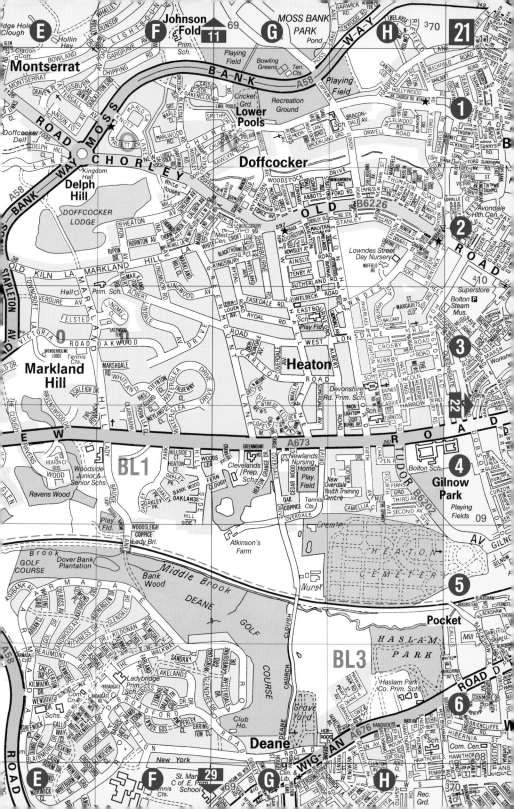

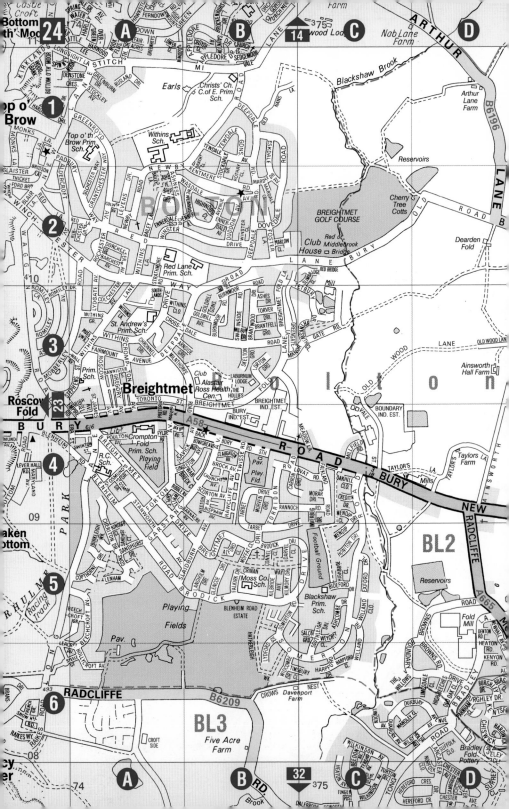

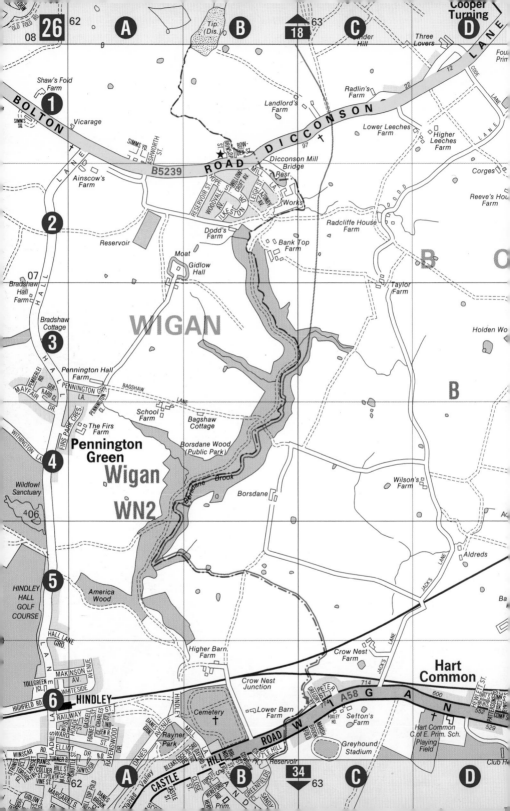

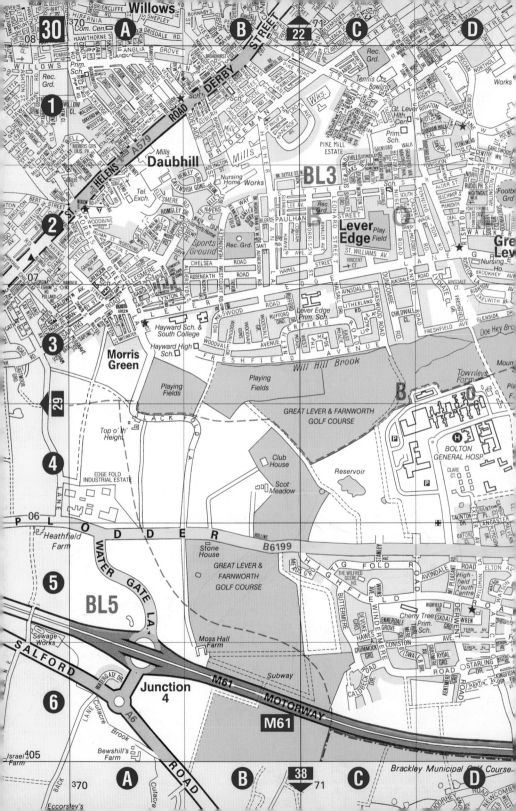

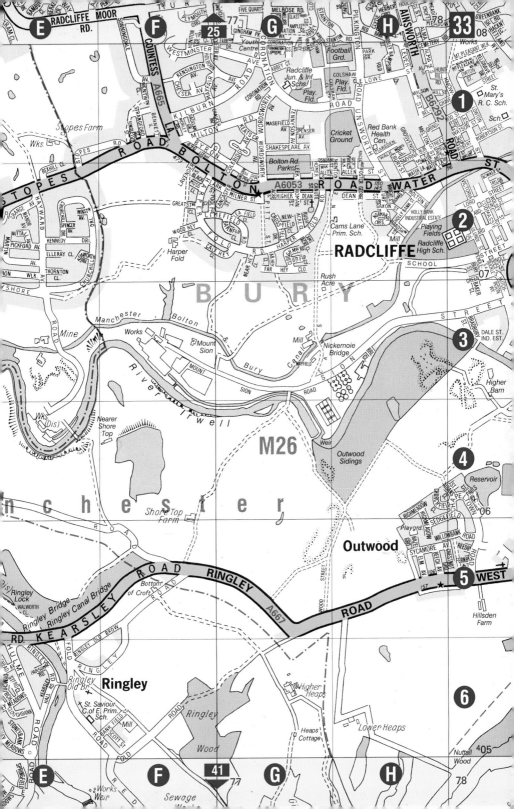

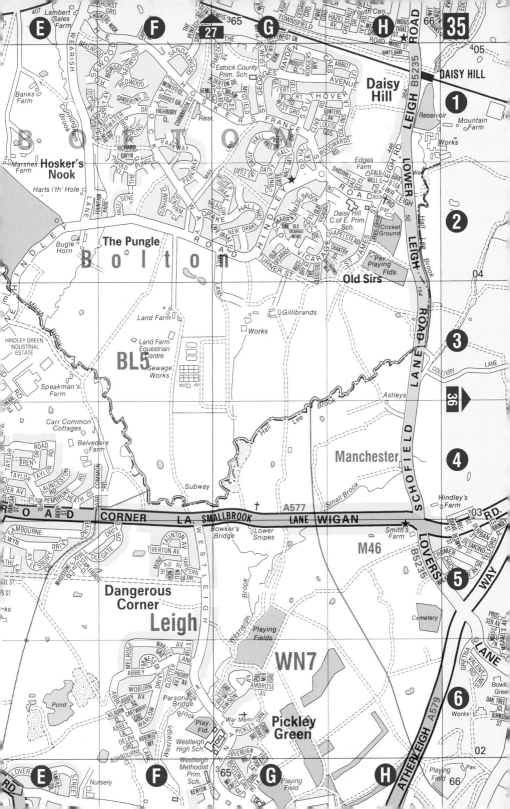

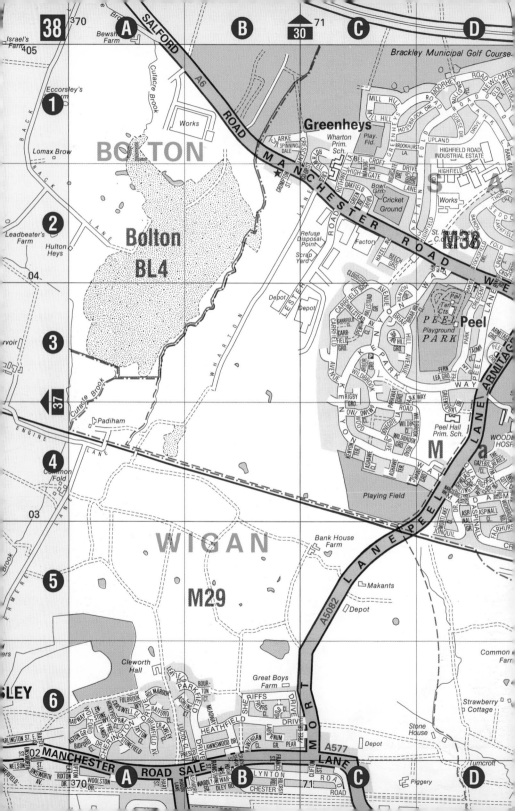

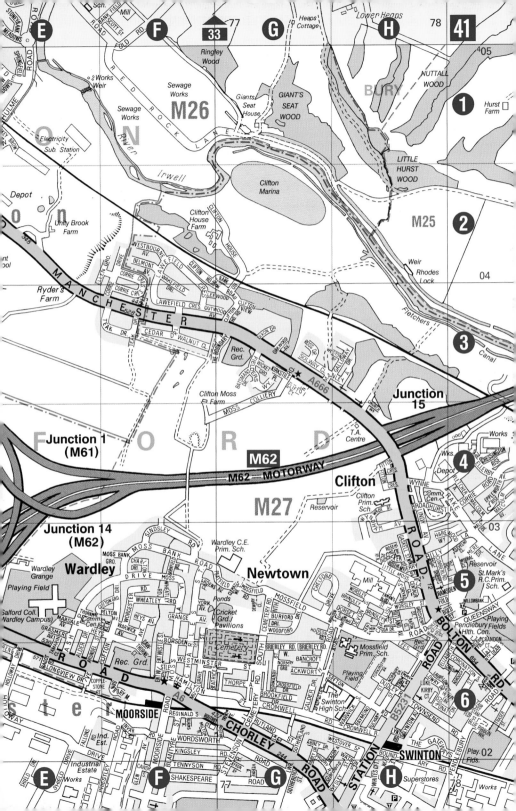

INDEX TO STREETS

HOW TO USE THIS INDEX

1. Each street name is followed by its Posttown or Postal Locality and then by its map reference; e.g. Abbey Ct. *Rad* —1G **33** is in the Radcliffe Posttown and is to be found in square 1G on page **33**. The page number being shown in bold type.
A strict alphabetical order is followed in which Av., Rd., St., etc. (though abbreviated) are read in full and as part of the street name; e.g. Abbotsford Rd. appears after Abbot Croft but before Abbot St.

2. Streets and a selection of Subsidiary names not shown on the Maps, appear in the index in *Italics* with the thoroughfare to which it is connected shown in brackets; e.g. *Acresfield Mall. Ram* —4D **22** (off Arndale Cen.)

3. Railway stations appear in the index in CAPITALS and are referenced to the actual building and not to the station name.
The abbreviations *BR*, *M* and *ELR* after the station name indicates whether it is a British Rail, Metro or East Lancashire Railway station; e.g. ADLINGTON STATION. *BR* —2E **7**

GENERAL ABBREVIATIONS

All : Alley	Cir : Circus	Ho : House	Pas : Passage
App : Approach	Clo : Close	Ind : Industrial	Pl : Place
Arc : Arcade	Comn : Common	Junct : Junction	Quad : Quadrant
Av : Avenue	Cotts : Cottages	La : Lane	Rd : Road
Bk : Back	Ct : Court	Lit : Little	S : South
Boulevd : Boulevard	Cres : Crescent	Lwr : Lower	Sq : Square
Bri : Bridge	Dri : Drive	Mnr : Manor	Sta : Station
B'way : Broadway	E : East	Mans : Mansions	St : Street
Bldgs : Buildings	Embkmt : Embankment	Mkt : Market	Ter : Terrace
Bus : Business	Est : Estate	M : Mews	Trad : Trading
Cvn : Caravan	Gdns : Gardens	Mt : Mount	Up : Upper
Cen : Centre	Ga : Gate	N : North	Vs : Villas
Chu : Church	Gt : Great	Pal : Palace	Wlk : Walk
Chyd : Churchyard	Grn : Green	Pde : Parade	W : West
Circ : Circle	Gro : Grove	Pk : Park	Yd : Yard

POSTTOWN AND POSTAL LOCALITY ABBREVIATIONS

Abr : Abram	*Brom X* : Bromley Cross	*Hind* : Hindley	*Ram* : Ramsbottom
Adl : Adlington	*Bury* : Bury	*Hind I* : Hindley Ind. Est.	*Stand* : Standish
Aff : Affetside	*Cheq* : Chequerbent	*Holc* : Holcombe	*Stone* : Stoneclough
Ain : Ainsworth	*Chor* : Chorley	*Hor* : Horwich	*Swint* : Swinton
And : Anderton	*Clif* : Clifton	*Ince* : Ince	*Tot* : Tottington
Asp : Aspull	*Cop* : Coppull	*Kear* : Kearsley	*Tur* : Turton
Ast : Astley	*Eger* : Egerton	*Leigh* : Leigh	*Tyl* : Tyldesley
Ath : Atherton	*Farn* : Farnworth	*L Hul* : Little Hulton	*Wals* : Walshaw
Bick : Bickershaw	*Fish I* : Fishbrook Ind. Est.	*L Lev* : Little Lever	*Wdly* : Wardley
Blac : Blackrod	*G'mnt* : Greenmount	*Los* : Lostock	*W'houg* : Westhoughton
Bolt : Bolton	*Grim V* : Grimeford Village	*Nwtwn* : Newtown	*Wig* : Wigan
Brad F : Bradley Fold	*Haig* : Haigh	*Over H* : Over Hulton	*Wing I* : Wingates Ind. Est.
Brad T : Bradley Fold Trad. Est.	*Harw* : Harwood	*Pen* : Pendlebury	*Wor* : Worsley
Brad : Bradley	*Hawk* : Hawkshaw	*Plat B* : Platt Bridge	
Brei : Breightmet	*Hth C* : Heath Charnock	*Rad* : Radcliffe	

INDEX TO STREETS

Abbey Clo. *Rad* —6G **25**
Abbey Ct. *Rad* —1G **33**
Abbeydale Gdns. *Wor* —4G **39**
Abbey Dri. *Bury* —2H **25**
Abbey Dri. *Swint* —6G **41**
Abbey Gro. *Adl* —2E **7**
Abbey La. *Leigh* —6F **35**
Abbey Sq. *Leigh* —6F **35**
Abbingdon Way. *Leigh* —6F **35**
Abbot Croft. *W'houg* —1H **35**
Abbotsford Rd. *Bolt* —2G **21**
Abbot St. *Bolt* —6C **22**
Abbott St. *Hor* —5D **8**
Abden St. *Rad* —2H **33**
Abercorn Rd. *Bolt* —5H **11**
Abernethy St. *Hor* —1F **19**
Abingdon Rd. *Bolt* —3G **23**
Abraham St. *Hor* —5D **8**
Ackworth Rd. *Swint* —6G **41**
Acre Field. *Bolt* —5H **13**
Acresbrook Av. *Tot* —4H **15**
Acresbrook Wlk. *Tot* —4H **15**
Acresdale. *Los* —4C **20**
Acresfield. *Adl* —3D **6**
Acresfield Clo. *Blac* —6G **7**
Acresfield Mall. Ram —4D **22**
(off Arndale Cen.)
Acresfield Rd. *L Hul* —3F **39**
Acres St. *Tot* —4H **15**
Acre Wood. *Los* —2B **28**
Adam St. *Bolt* —6D **22**
Addington Rd. *Bolt* —2F **29**
Adelaide St. *Adl* —1E **7**
Adelaide St. *Bolt* —1B **30**

Adelaide St. *Ram* —3H **5**
Adelphi Dri. *L Hul* —2F **39**
Adelphi Gro. *L Hul* —2F **39**
Adelphi St. *Rad* —6H **25**
Adisham Dri. *Bolt* —2D **22**
Adlington Clo. *Bury* —2H **25**
ADLINGTON STATION. *BR* —2E **7**
Adlington St. *Bolt* —1B **30**
Adrian Rd. *Bolt* —1A **22**
Affetside Dri. *Bury* —1G **25**
Affleck Av. *Rad* —5C **32**
Agnes St. *Bolt* —6H **23**
Ainscow Av. *Los* —3H **19**
Ainscow St. *Bick* —6A **34**
Ainsdale Av. *Ath* —3C **36**
Ainsdale Av. *Tur* —1A **4**
Ainsdale Ct. *Bolt* —2D **30**
Ainsdale Rd. *Bolt* —3C **30**
(in two parts)
Ainse Rd. *Blac* —6F **7**
Ainsley Gro. *Wor* —5H **39**
Ainslie Rd. *Bolt* —2G **21**
Ainsworth Av. *Hor* —2G **19**
Ainsworth Ct. *Bolt* —4G **23**
Ainsworth Hall Rd. *Ain* —4D **24**
Ainsworth La. *Bolt* —2F **23**
Ainsworth Rd. *Bury* —2H **25**
Ainsworth Rd. *L Lev* —2C **32**
Ainsworth Rd. *Rad* —5H **25**
Ainsworth St. *Bolt* —1A **22**
Aintree Rd. *L Lev* —3C **32**
Aire Dri. *Bolt* —4F **13**
Aireworth St. *W'houg* —2G **27**
Alan St. *Ram* —6B **12**
Albany Clo. *L Hul* —1F **39**

Alberta St. *Bolt* —6A **22**
Albert Av. *Wor* —2G **39**
Albert Gro. *Farn* —5H **31**
Albert M. *W'houg* —4G **27**
Alberton Clo. *Asp* —5G **17**
Albert Rd. *Bolt* —3H **21**
(Bolton)
Albert Rd. *Bolt* —2F **21**
(Markland Hill)
Albert Rd. *Farn* —5G **31**
Albert Rd. W. *Bolt* —3F **21**
Albert St. *Eger* —4B **2**
Albert St. *Farn* —6H **31**
Albert St. *Hor* —5D **8**
Albert St. *Kear* —5A **32**
Albert St. *L Lev* —2D **32**
Albion St. *Bolt* —6D **22**
Albion St. *Kear* —6C **32**
Albion St. *W'houg* —2H **27**
Albion Ter. *Bolt* —6H **11**
Aldbury Ter. *Bolt* —2B **22**
Alderbank. *Hor* —6B **8**
Alderbank Clo. *Kear* —1B **40**
Aldercroft Av. *Bolt* —2H **23**
Alder Dri. *Wdly* —6E **41**
Alderfold St. *Ath* —4D **36**
Alder Gro. *Brom X* —3G **13**
Alder Ho. *Ath* —4D **36**
Alder La. *Hind* —2C **34**
Alderley Av. *Bolt* —4C **12**
Alderley Rd. *Hind* —2C **34**
Alderminster Av. *L Hul* —2E **39**
Alders Grn. Rd. *Hind* —2C **34**
Alder St. *Ath* —4D **36**
Alder St. *Bolt* —2D **30**

Aldersyde St. *Bolt* —2B **30**
Alderton Dri. *W'houg* —1G **35**
Aldford Dri. *Ath* —2E **37**
Aldford Gro. *Brad F* —6D **24**
Aldred St. *Bolt* —2H **29**
Aldred St. *Hind* —3A **34**
Aldsworth Dri. *Bolt* —1C **30**
Alexander Briant Ct. *Farn* —6G **31**
Alexander Rd. *Bolt* —2G **23**
Alexander St. *Tyl* —6G **37**
Alexandra Rd. *Kear* —6C **32**
Alexandra Rd. *Los* —3G **19**
Alexandra Rd. *Rad* —5C **32**
Alexandra Rd. *Wor* —2G **39**
Alexandra St. *Farn* —6H **31**
Alexandria Dri. *W'houg* —5B **28**
Alford Clo. *Bolt* —5B **24**
Alfred St. *Bolt* —1F **31**
Alfred St. *Eger* —4B **2**
Alfred St. *Farn* —3H **31**
Alfred St. *Kear* —5B **32**
Alfred St. *Tyl* —6F **37**
Algernon Rd. *Wor* —3G **39**
Algernon St. *Farn* —3H **31**
Algernon St. *Hind* —2A **34**
Alice St. *Bolt* —6A **22**
Alicia St. *Bolt* —6H **23**
Alick's Fold. *W'houg* —4G **27**
Allenby Gro. *W'houg* —6F **27**
Allenby St. *Ath* —5B **36**
Allendale Gdns. *Bolt* —1C **22**
Allen St. *L Lev* —2C **32**
Allen St. *Rad* —2G **33**
(in two parts)

Allerton Clo. *W'houg* —4A **28**
Allerton Ho. *Ram* —3C **22**
  (off Duke St. N.)
Allesley Dri. *W'houg* —4A **28**
All Saints Gro. *Hind* —2A **34**
All Saints St. *Bolt* —3D **22**
Alma Rd. *W'houg* —5H **27**
Alma St. *Ath* —4C **36**
Alma St. *Bolt* —1A **30**
Alma St. *Kear* —2D **40**
Alma St. *L Lev* —2D **32**
Alma St. *Rad* —6H **25**
Alma St. *Tyl* —6F **37**
Almond Gro. *Bolt* —6D **12**
Almond St. *Bolt* —5D **12**
Almond St. *Farn* —5G **31**
Alnwick Clo. *Asp* —6H **17**
Alpha St. *Rad* —1H **33**
Alpine Ter. *Farn* —5A **32**
Alston Lea. *Ath* —3E **37**
Alston St. *Bolt* —2C **30**
Amber Gdns. *Hind* —3A **34**
Amber Gro. *W'houg* —3H **27**
Amberley Clo. *Bolt* —6F **21**
Amblecote Dri. E. *L Hul* —1E **39**
Amblecote Dri. W. *L Hul* —1E **39**
Ambleside Clo. *Bolt* —5B **14**
Ambrose Av. *Leigh* —6G **35**
Ampleforth Gdns. *Rad* —6G **25**
Anchor La. *Farn & Wor* —5D **30**
Ancroft Gdns. *Bolt* —2A **30**
Anderton Clo. *Bury* —2H **25**
Anderton La. *Blac* —6A **8**
  (in two parts)
Anderton *Adl* —2E **7**
Andrew Clo. *G'mnt* —6H **5**
Andrew La. *Bolt* —3D **12**
Andrew's Ter. *W'houg* —4G **27**
Anfield Rd. *Bolt* —2C **30**
Angelo St. *Ram* —6B **12**
  (in two parts)
Angle St. *Bolt* —2F **23**
Anglezarke Rd. *Adl* —2E **7**
Anglia Gro. *Bolt* —1A **30**
Annis Rd. *Bolt* —1H **29**
Ann St. *Kear* —6A **32**
Ansdell Rd. *Hor* —5E **9**
Anson St. *Bolt* —6D **12**
Anthony St. *Bolt* —3H **21**
Anvil St. *Farn* —6H **31**
Appleby Clo. *Bury* —1H **25**
Appleby Gdns. *Bolt* —2E **23**
Appledore Dri. *Bolt* —6B **14**
Apple Ter. *Ram* —1B **22**
Aqueduct Rd. *Bolt* —1G **31**
Arbor Clo. *L Hul* —3C **38**
Archer Av. *Bolt* —3G **23**
Archer Gro. *Bolt* —3G **23**
Arch St. *Bolt* —2E **23**
Ardens Clo. *Swint* —5F **41**
Ardley Rd. *Hor* —5E **9**
Argo St. *Bolt* —1B **30**
Argyle Av. *Wor* —2G **39**
Argyle St. *Ath* —5C **36**
Argyle St. *Hind* —2A **34**
Arkwright Clo. *Bolt* —2A **22**
Arkwright St. *Hor* —1E **19**
Arlen Ct. *Bolt* —6F **23**
Arlen Rd. *Bolt* —6F **23**
Arley La. *Haig* —2B **16**
Arley Way. *Ath* —5E **37**
Arlington St. *Bolt* —2D **30**
Armadale Ct. *Bolt* —6E **21**
Armadale Rd. *Bolt* —5E **21**
Armitage Av. *L Hul* —3D **38**
Armitage Gro. *L Hul* —3D **38**
Armitstead St. *Hind* —3A **34**
Armstrong St. *Hor* —1E **19**
Arncliffe Clo. *Farn* —4H **31**
Arncot Rd. *Ram* —4D **12**
Arnesby Gro. *Bolt* —3F **23**
Arnold Rd. *Eger* —1D **12**
Arnold St. *Bolt* —1A **22**
Arnside Clo. *Bolt* —3A **24**
Arnside Rd. *Hind* —2C **34**
Arran Clo. *Bolt* —5E **21**
Arran Gro. *Rad* —6G **25**
Arrowhill Rd. *Rad* —3H **25**
Arrowsmith Ct. *Hor* —2G **19**

Arrow St. *Ram* —3C **22**
Arthur Av. *Wor* —2G **39**
Arthur La. *Ain* —6C **14**
Arthur St. *Farn* —5H **31**
Arthur St. *Hind* —2A **34**
Arthur St. *L Lev* —2D **32**
Arthur St. *Wor* —5B **40**
  (Walkden)
Arthur St. *Wor* —6A **40**
  (Worsley)
Artillery St. *Bolt* —6D **22**
Arundale. *W'houg* —3H **27**
Arundel St. *Bolt* —4C **12**
Arundel St. *Hind* —2A **34**
Arundel St. *Wdly* —6E **41**
Ascot Dri. *Ath* —3E **37**
Ascot Rd. *L Lev* —2D **32**
Ashawe Clo. *L Hul* —4C **38**
Ashawe Gro. *L Hul* —4C **38**
Ashawe Ter. *L Hul* —4C **38**
Ashbank Av. *Bolt* —5E **21**
Ashbee St. *Bolt* —6C **12**
Ashbourne Av. *Bolt* —5F **23**
Ashbourne Av. *Hind* —2B **34**
Ashbourne Gro. *Leigh* —6F **35**
Ashbourne Gdns. *Hind* —2B **34**
Ashburner St. *Bolt* —5C **22**
Ashbury Clo. *Bolt* —6C **22**
Ashby Clo. *Farn* —2G **31**
Ashcombe Dri. *Bolt* —5C **24**
Ashcombe Dri. *Rad* —6F **25**
Ashcott Clo. *Los* —6E **21**
Ashcroft St. *Hind* —3A **34**
Ashdale Av. *Bolt* —6E **21**
Ashdale Rd. *Hind* —2B **34**
Ashdene Cres. *Bolt* —4H **13**
Ashdown Dri. *Bolt* —4H **13**
Ash Dri. *Wdly* —6E **41**
Asher St. *Bolt* —3A **30**
Ashes Dri. *Bolt* —3B **24**
Ashfield Av. *Ath* —3C **36**
Ashfield Av. *Hind* —3B **34**
Ashfield Dri. *Asp* —6G **17**
Ashfield Gro. *Bolt* —3E **13**
Ashfield Rd. *And* —1F **7**
Ashford Clo. *Bolt* —5A **14**
Ashford Rise. *Wig* —6A **16**
Ashford Wlk. *Bolt* —2C **22**
Ash Gro. *Bolt* —3H **21**
Ash Gro. *Harw* —6B **14**
Ash Gro. *Hor* —3G **19**
Ash Gro. *Ram* —4H **5**
Ash Gro. *Tot* —4H **15**
Ash Gro. *W'houg* —6G **27**
Ash Gro. *Wor* —6H **39**
Ashington Clo. *Bolt* —6H **11**
Ashington Dri. *Bury* —2H **25**
Ashleigh Dri. *Bolt* —3E **21**
Ashley Av. *Bolt* —3H **23**
Ashley Ct. *Swint* —5H **41**
Ashley Gro. *Farn* —5G **31**
Ashley Rd. *Hind* —4D **34**
Ashling Ct. *Tyl* —6A **38**
Ashmore St. *Bolt* —6B **38**
Ashness Clo. *Hor* —6B **8**
Ashness Dri. *Bolt* —2A **24**
Ashness Pl. *Bolt* —2A **24**
Ashover Clo. *Bolt* —3D **12**
Ashridge Clo. *Los* —5C **20**
Ash Rd. *Kear* —2B **40**
Ash St. *Bolt* —5E **23**
Ash St. *Tyl* —6G **37**
Ashton Field Dri. *Wor* —3G **39**
Ashton St. *Bolt* —1H **29**
Ashton St. *L Lev* —2D **32**
Ashurst Clo. *Bolt* —6B **14**
Ashwell M. *Bolt* —6G **13**
Ashwell St. *Bolt* —6F **13**
Ashwood. *Rad* —6D **32**
Ashwood Av. *Wor* —2G **39**
Ashworth Av. *L Lev* —2E **33**
Ashworth La. *Bolt* —6D **12**
Ashworth St. *Asp* —1A **26**
Ashworth St. *Farn* —5G **31**
Ashworth Ter. *Bolt* —5A **14**
Asia St. *Bolt* —2E **31**
Askwith Rd. *Hind* —4A **34**
Aspen Clo. *W'houg* —3H **27**

Aspinall Clo. *Wor* —4D **38**
Aspinall Ct. *Hor* —1E **19**
Aspinall Cres. *Wor* —4D **38**
Aspinall Gro. *Wor* —4D **38**
Aspinall St. *Hor* —3E **19**
Aster Av. *Farn* —4E **31**
Astley La. *Ram* —6C **12**
Astley Rd. *Bolt* —4A **14**
Astley St. *Bolt* —1C **22**
Astley St. *Tyl* —6G **37**
Aston Gdns. *Farn* —4H **31**
Aston Gro. *Tyl* —6A **38**
Athens Dri. *Wor* —5G **39**
Atherfield. *Bolt* —5A **14**
Atherleigh Way. *Leigh & Ath* —6H **35**
Atherton Ho. *Ath* —3D **36**
Atherton Rd. *Hind* —2A **34**
ATHERTON STATION. *BR* —3E **37**
Atherton St. *Adl* —3E **7**
Atherton St. *Bick* —6A **34**
Athlone Av. *Bolt* —4A **12**
Athol Cres. *Hind* —3D **34**
Atholl Clo. *Bolt* —5F **21**
Athur La. *Bolt* —6C **14**
Atkinson Av. *Bolt* —2F **31**
Atkin St. *Wor* —5H **39**
Atlas Ho. *Ram* —3D **22**
Auberson Rd. *Bolt* —2B **30**
Auburn St. *Bolt* —1B **30**
Augustus St. *Bolt* —1E **31**
Austin's La. *Los* —3H **19**
Avallon Clo. *Tot* —2H **15**
Avebury Clo. *Hor* —2H **19**
Avenue Rd. *Bolt* —3B **22**
Avenue, The. *Adl* —1E **7**
Avenue, The. *Bolt* —4F **23**
Avenue, The. *W'houg* —4H **27**
Avoncliffe Clo. *Bolt* —6B **12**
Avon Clo. *Wor* —5E **39**
Avondale Dri. *Ram* —5H **5**
Avondale St. *Farn* —5D **30**
Avonhead Clo. *Hor* —6B **8**
Avon Rd. *Kear* —2D **40**
Avon St. *Ram* —2H **21**
Aylesbury Cres. *Hind* —5E **35**
Aylesford Wlk. *Bolt* —2C **22**
Ayr St. *Bolt* —5E **23**
Ayrton Gro. *L Hul* —1E **39**

B

Baber Wlk. *Bolt* —5C **12**
Babylon La. *And* —1F **7**
Bk. All Saints St. Ram —3D **22**
  (off Bark St.)
Bk. Apple Ter. *Bolt* —1B **22**
Bk. Astley St. *Ram* —1C **22**
Bk. Avondale St. *Ram* —2A **22**
Bk. Baldwin St. N. *Bolt* —6C **22**
Bk. Belfast St. *Ram* —1C **22**
Bk. Bennett's La. *Ram* —1A **22**
Bk. Bowness Rd. *Bolt* —1B **30**
Bk. Broom St. *Bolt* —4E **23**
Bk. Bury Rd. S. *Bolt* —4A **24**
  (in two parts)
Bk. Cambridge St. *Ram* —2C **22**
Bk. Canada St. *Bolt* —6D **8**
Bk. Chapel La. *Hor* —6E **9**
Bk. Chapel St. *Tot* —2H **15**
Bk. Cheapside. *Bolt* —4D **22**
Bk. Chorley Old Rd. S. *Ram* —2G **22**
Bk. Church Rd. N. *Ram* —1H **21**
Bk. Clay St. E. *Brom X* —2E **13**
Bk. Common St. *W'houg* —6D **26**
Bk. Crown St. *Hor* —5C **8**
Bk. Darwen Rd. N. *Eger* —6C **2**
Bk. Deane Chu. La. *Bolt* —1H **29**
Bk. Devonshire Rd. *Ram* —2G **21**
Bk. Duncan St. *Hor* —6E **9**
Bk. Eden St. *Ram* —5C **12**
Bk. Emmett St. *Hor* —6D **8**
Bk. Everton St. N. *Ram* —1D **22**
Bk. Fairhaven Rd. *Ram* —2A **22**
Bk. Fern St. E. *Bolt* —5A **22**
Bk. Fletcher St. *Rad* —5D **32**
Bk. Gorton St. *Bolt* —5E **23**
Bk. Grantham Clo. *Ram* —2C **22**

Bk. Hart St. *W'houg* —6D **26**
Bk. Harvey St. *Ram* —6B **12**
Bk. Hatfield Rd. *Ram* —2A **22**
Bk. Higher Swan La. W. *Bolt* —2B **30**
Bk. High St. *Tur* —3G **3**
Bk. Holland St. *Ram* —5D **12**
Bk. Hotel St. *Ram* —4D **22**
Bk. Hulton La. S. *Bolt* —3G **29**
Bk. Ivanhoe St. *Bolt* —3G **31**
Bk. Ivy Bank Rd. *Ram* —4C **12**
Bk. Ivy Rd. *Ram* —2A **22**
Bk. James St. *L Lev* —2D **32**
Bk. John St. *Bolt* —5C **22**
Bk. Kingholm Gdns. *Ram* —2B **22**
Back La. *Over H* —1H **37**
Back La. *Ram* —3C **22**
Bk. Lee St. *Bolt* —3E **23**
Bk. Lever St. *Bolt* —1C **30**
Bk. Lightburne Av. *Ram* —4H **21**
Bk. Lydia St. *Bolt* —4E **23**
Bk. Market St. *Hind* —2A **34**
Bk. Market St. *Rad* —5D **32**
Bk. Markland Hill La. *Bolt* —2F **21**
Bk. Markland Hill La. E. Bolt
  (off Whitecroft Rd.) —2F **21**
Bk. Markland Hill La. W. *Ram* —2F **21**
Bk. Mawdsley St. *Ram* —4D **22**
Bk. Maxwell St. *Ram* —5C **12**
Bk. Mere Gdns. *Ram* —3C **22**
Bk. Mirey La. *Los* —1B **28**
Bk. Nelson St. *Hor* —6E **9**
Bk. Newton St. *Ram* —1C **22**
Bk. Olga St. *Bolt* —1B **22**
Bk. Railway View. *Adl* —3E **7**
Bk. Rawlinson St. *Hor* —5D **8**
Bk. Rigby La. N. *Bolt* —3G **13**
Bk. Rowena St. *Bolt* —3G **31**
Bk. St George's Rd. *Ram* —3C **22**
Bk. Sandy Bank Rd. *Tur* —2H **3**
Bk. Sapling Rd. S. *Bolt* —3H **29**
Bk. Settle St. N. *Bolt* —2B **30**
Bk. Shakerley Rd. *Tyl* —2H **37**
Bk. Shipton St. *Ram* —2H **21**
Bk. Short St. *Tyl* —6F **37**
Bk. Somerset Rd. W. *Ram* —3H **21**
Bk. Spring Gdns. *Bolt* —5D **22**
Bk. Thomasson Clo. *Ram* —2C **22**
Bk. Thorns Rd. *Ram* —6C **12**
Bk. Tonge Moor Rd. E. *Bolt* —6F **13**
Bk. Vernon St. *Ram* —3C **22**
Bk. Wigan Rd. N. *Bolt* —1G **29**
  (in two parts)
Bk. Willows La. *Bolt* —1A **30**
Bk. Woking Gdns. *Ram* —2C **22**
Bk. Wood St. *Hor* —6E **9**
Bk. Wright St. *Hor* —5D **8**
Bk. Young St. *Farn* —6A **32**
Badder St. *Ram* —3D **22**
Bag La. *Ath* —3B **36**
Bagot St. *Wdly* —6E **41**
Bagshaw La. *Asp* —3A **26**
Bailey Field. *W'houg* —5A **28**
Bailey La. *Bolt* —2A **24**
  (in two parts)
Baines St. *Ram* —3H **21**
Baker M. *Hor* —5D **8**
Baker St. *Kear* —1D **40**
Balcarres Rd. *Asp* —6F **17**
Balcary Gro. *Bolt* —3H **21**
Baldrine Dri. *Hind* —2D **34**
Baldwin St. *Bolt* —6B **22**
Baldwin St. *Hind* —4D **34**
Balfern Clo. *W'houg* —4G **27**
Balfern Fold. *W'houg* —4G **27**
Balfour St. *Bolt* —5B **22**
Balmoral. *Adl* —3C **6**
Balmoral Av. *L Lev* —2C **32**
Balmoral Clo. *G'mnt* —6H **5**
Balmoral Clo. *Ram* —1G **19**
Balmoral Rd. *Farn* —6G **31**
Balmore Clo. *Bolt* —2A **22**
Balshaw Clo. *Bolt* —6A **22**
Bamber Croft. *W'houg* —2G **27**
Bamburgh Clo. *Rad* —6E **25**
Banbury M. *Wdly* —6F **41**
Banbury St. *Bolt* —2G **23**
Bancroft Rd. *Swint* —6G **41**

Bangor St. *Ram* —3C **22**
Banker St. *Bolt* —6G **23**
Bankfield. *W'houg* —6A **28**
Bankfield Clo. *Ain* —2E **25**
Bankfield St. *Bolt* —6A **22**
(in two parts)
Bank Field St. *Rad* —6F **33**
Bank Gro. *L Hul* —1D **38**
Bank Hall Clo. *Bury* —1H **25**
Bankhall Clo. *Hind* —6D **34**
Bank La. *L Hul* —1D **38**
Bank Meadow. *Hor* —5E **9**
Bank Side. *W'houg* —6H **27**
Bank St. *Adl* —2E **7**
Bank St. *Bolt* —4D **22**
Bank St. *Farn* —5H **31**
Bank St. *Tur* —3G **3**
Bank St. *Wals* —5H **15**
Bank Top Gro. *Bolt* —4E **13**
Bank Top View. *Kear* —6C **32**
Bank View. *Farn* —6A **32**
Bank Wood. *Bolt* —4F **21**
Banner St. *Hind* —2A **34**
Bannister St. *Bolt* —3A **24**
Bantry St. *Bolt* —6C **22**
Barbara Rd. *Bolt* —3G **29**
Barbara St. *Bolt* —1B **30**
Barberry Bank. *Eger* —5B **2**
Barchester Av. *Bolt* —2A **24**
Barcroft Rd. *Bolt* —1H **21**
Bardon Clo. *Bolt* —2B **22**
Bardsley Clo. *Bolt* —4H **13**
Bare St. *Ram* —3E **23**
Barford Gro. *Los* —2H **19**
Bark St. *Bolt* —4C **22**
(in two parts)
Bark St. E. *Bolt* —3D **22**
Bar La. *Bolt* —4C **12**
Barley Brook Meadow. *Bolt* —3D **12**
Barlow Ct. *Tur* —2A **4**
Barlow Pk. Av. *Bolt* —4B **12**
Barlow St. *Hor* —1E **19**
Barlow St. *Ram* —4E **23**
Barlow St. *Wor* —3H **39**
Barnabys Rd. *W'houg* —2F **27**
Barn Acre. *Blac* —2A **18**
Barnacre Av. *Bolt* —4B **24**
Barnard St. *Bolt* —3G **23**
Barncroft Dri. *Hor* —6H **9**
Barncroft Rd. *Farn* —5H **31**
Barnes Clo. *Farn* —5A **32**
Barnes Pas. *Ath* —4E **37**
Barnes Ter. *Kear* —6C **32**
Barnet Rd. *Ram* —1A **22**
Barnfield Clo. *Eger* —5C **2**
Barnfield Rd. *Rad* —2G **33**
Barnfield Clo. *Tyl* —6F **37**
Barnfield Dri. *W'houg* —4A **28**
Barnfield Rd. *Wdly* —5F **41**
Barn Hill. *W'houg* —4G **27**
Barn Hill Ter. *W'houg* —4G **27**
Barn Meadow. *Tur* —1H **3**
Barnsdale Clo. *Ain* —3E **25**
Barnside Av. *Wor* —5A **40**
Barnston Clo. *Bolt* —5D **12**
Barn St. *Ram* —4C **22**
Barnwood Clo. Bolt —2C **22**
(off Barnwood Dri.)
Barnwood Dri. *Ram* —2C **22**
Barnwood Ter. Bolt —2C **22**
(off Barnwood Dri.)
Baron Fold. *L Hul* —2E **39**
Baron Fold Cres. *L Hul* —2D **38**
Baron Fold Gro. *L Hul* —2D **38**
Baron Fold Rd. *L Hul* —2D **38**
Baron Wlk. *L Lev* —2E **33**
Barracks Rd. *Abr* —6A **34**
Barrack St. *Bolt* —5C **22**
Barrett Av. *Kear* —6B **32**
Barrie Way. *Bolt* —5F **13**
Barrisdale Clo. *Bolt* —6F **21**
Barrow Brn. Rd. *Kear* —6A **32**
Barrows Ct. *Ram* —5D **22**
Barrowshaw Clo. *Wor* —5G **39**
Barrs Fold Clo. *Wing I* —2F **27**
Barrs Fold Rd. *Wing I* —3F **27**
Barr St. *Kear* —2D **40**
Barry Cres. *Wor* —3F **39**

Barsham Dri. *Bolt* —6B **22**
Barton Rd. *Farn* —6F **31**
Barton St. *Kear* —6A **32**
Barton St. *Swint* —5H **41**
Barton St. *Tyl* —6F **37**
Barton Wlk. *Farn* —6F **31**
Barwell Sq. *Farn* —3F **31**
Bascow Av. *Hind* —4B **34**
Bashall St. *Bolt* —3A **22**
Basil St. *Bolt* —6C **22**
Bass St. *Bolt* —4G **23**
Basswood Grn. *Hind* —4C **34**
Bateman St. *Hor* —1F **19**
Bath St. *Ath* —4A **36**
Bath St. *Bolt* —3D **22**
Batridge Rd. *Tur* —1E **3**
Batsmans Dri. *Clif* —3G **41**
Battenberg Rd. *Bolt* —3A **22**
Baxendale St. *Bolt* —5C **12**
Baycliffe Clo. *Hind* —4B **34**
Bayley St. *Ram* —3B **22**
Baysdale Av. *Bolt* —1F **29**
Bayswater St. *Bolt* —3A **30**
Baythorpe St. *Bolt* —6D **12**
Bazley St. *Bolt* —5F **11**
Beacon Clo. *Ath* —5A **36**
Beacon Rd. *Bick* —6C **34**
Beaconsfield St. *Bolt* —5B **22**
Beatrice M. *Hor* —5F **9**
Beatrice Rd. *Bolt* —3A **22**
Beatrice St. *Farn* —5F **31**
Beatrice St. *Swint* —6F **41**
Beatty Dri. *W'houg* —4G **27**
Beaufort St. *Hind* —2A **34**
Beaumaris Rd. *Hind* —4C **34**
Beaumont Av. *Hor* —5E **9**
Beaumont Chase. *Bolt* —2F **29**
Beaumont Ct. *Bolt* —3D **20**
Beaumont Dri. *Bolt* —2C **12**
Beaumont St. *Bolt & Los* —4D **20**
Beaumont Rd. *Hor* —5E **9**
Beck Gro. *Wor* —6A **40**
Bede St. *Ram* —1A **22**
Bedford Av. *Wor* —6G **39**
Bedford Dri. *Ath* —6A **36**
Bedford Gdns. *Hind* —1B **34**
Bedford St. *Bolt* —3B **22**
Bedford St. *Eger* —5B **2**
Bedworth Clo. *Bolt* —6F **13**
Beech Av. *And* —1F **7**
Beech Av. *Ath* —4E **37**
Beech Av. *Farn* —5E **31**
Beech Av. *Hor* —2G **19**
Beech Av. *Kear* —2D **40**
Beech Av. *L Lev* —3D **32**
Beech Av. *Rad* —5H **33**
Beech Clo. *Bolt* —3G **13**
Beechcroft Av. *Bolt* —5A **24**
Beechcroft Gro. *Bolt* —5A **24**
Beeches, The. Ath —4D **36**
(off George St.)
Beeches, The. *Bolt* —3B **12**
Beechfield Av. *Hind* —3C **34**
Beechfield Av. *L Hul* —2E **39**
Beechfield Rd. *Bolt* —1H **21**
Beech Gro. *G'mnt* —6H **5**
Beech Gro. *L Hul* —2C **38**
Beech St. *Ath* —4E **37**
Beech St. *Bolt* —1D **22**
Beech St. *Tur* —2H **3**
Beechville. *Los* —4B **20**
Beechwood St. *Bolt* —2D **30**
Beedon Av. *L Lev* —1C **32**
Bee Fold La. *Ath* —5B **36**
(in three parts)
Beehive Grn. *W'houg* —4B **28**
Bee Hive Ind. Est. *Los* —3H **19**
Beeston Clo. *Bolt* —3E **13**
Begonia Av. *Farn* —4F **31**
Belayse Clo. *Bolt* —6H **11**
Belcroft Dri. *L Hul* —1C **38**
Belcroft Gro. *L Hul* —2C **38**
Belford Dri. *Bolt* —5C **24**
Belgrave Clo. *Rad* —1H **33**
Belgrave Cres. *Hor* —6F **9**
Belgrave Dri. *Rad* —1H **33**
Belgrave Gdns. *Bolt* —1C **22**
Belgrave St. *Ath* —5A **36**
Belgrave St. *Rad* —1H **33**

Belgrave St. *Ram* —2C **22**
(in two parts)
Belgrave St. S. *Bolt* —2C **22**
Bellairs St. *Bolt* —2A **30**
Bella St. *Bolt* —1A **30**
Bellingham Clo. *Bury* —1H **25**
Bell St. *Bolt* —5E **23**
Bell St. *Hind* —1A **34**
Bell St. *Leigh* —6F **35**
Bellwood. *W'houg* —1E **35**
Belmont Av. *Ath* —3F **37**
Belmont Av. *Bick* —6B **34**
Belmont Av. *Clif* —2F **41**
Belmont Dri. *Asp* —6G **17**
Belmont Dri. *Bury* —2H **25**
Belmont Rd. *Adl* —2E **7**
Belmont Rd. *Eger & Bolt* —1H **11**
Belmont Rd. *Hind* —1B **34**
Belmont Rd. *Hor* —1E **9**
Belmont View. *Bolt* —5B **14**
Belper St. *Bolt* —6G **23**
Belvedere Av. *Ath* —3F **37**
Belvedere Av. *G'mnt* —6H **5**
Belvedere Rd. *And* —1F **7**
Belvoir St. *Bolt* —4G **23**
Bembridge Dri. *Bolt* —6H **23**
Bennett's La. *Bolt* —6A **12**
Bennett St. *Rad* —1F **33**
Benson St. *Tur* —2H **3**
Bentham Clo. *Bury* —6G **15**
Bentham Clo. *Farn* —4H **31**
Bent Hill S. *Bolt* —1G **29**
Bentinck St. *Bolt* —2H **21**
Bentinck St. *Farn* —4G **31**
Bentley Ct. *Farn* —4H **31**
Bentley Hall Rd. *Bury* —5E **15**
Bentley St. *Bolt* —6G **23**
Bentley St. *Farn* —4H **31**
Bent Spur Rd. *Kear* —2C **40**
Bent St. *Kear* —6A **32**
Benwick Ter. *Bolt* —1C **22**
Beresford Av. *Bolt* —6A **22**
Berger Gro. *Bolt* —4D **22**
Berkeley Cres. *Rad* —6E **25**
Berkeley Rd. *Bolt* —5C **12**
Berlin St. *Bolt* —5A **22**
Bernard Gro. *Bolt* —1A **22**
Berne Av. *Hor* —6C **8**
Bernice St. *Bolt* —1A **22**
Berrington Wlk. *Bolt* —2E **23**
Berry St. *Pen* —5H **41**
Bertha St. *Bolt* —1B **22**
Bertrand Rd. *Bolt* —4A **22**
Bert St. *Bolt* —2H **29**
Berwyn Clo. *Hor* —4E **9**
Beryl Av. *Tot* —2H **15**
Beryl St. *Ram* —6D **12**
Bessybrook Clo. *Los* —5C **20**
Beta St. *Ram* —1A **22**
Bethersden Rd. *Wig* —6A **16**
Beverley Rd. *Bolt* —3H **21**
Beverley Rd. *L Lev* —2B **32**
Bewick St. *Bolt* —6F **13**
Bexhill Clo. *L Lev* —2E **33**
Bexhill Dri. *Leigh* —5E **35**
Bexley Dri. *L Hul* —3G **39**
Bexley St. *Hind* —4D **34**
Bickershaw Dri. *Wor* —5G **39**
(in two parts)
Bickershaw La. *Bick* —6A **34**
Bideford Dri. *Bolt* —5C **24**
Bidford Clo. *Tyl* —6A **38**
Bidston Clo. *Bury* —1H **25**
Bilbao St. *Ram* —3A **22**
Billinge Clo. *Bolt* —3D **22**
Billy La. *Clif* —5H **41**
Binbrook Wlk. *Bolt* —1D **30**
Birch Av. *Tot* —4H **15**
Birch Av. *W'houg* —6H **27**
Birchen Bower Dri. *Tot* —4H **15**
Birchen Bower Wlk. *Tot* —4H **15**
Birches Rd. *Tur* —3B **4**
Birchfield. *Bolt* —3A **14**
Birchfield Av. *Ath* —3B **36**
Birchfield Gro. *Bolt* —1E **29**
Birchfold. *L Hul* —3F **39**
Birchfold Clo. *L Hul* —3F **39**
Birchgate Wlk. *Bolt* —1C **30**
Birchgrove Clo. *Bolt* —3G **29**

Birch Ho. *W'houg* —6H **27**
Birch Rd. *Ath* —4E **37**
Birch Rd. *Kear* —1B **40**
Birch Rd. *Wor* —6H **39**
Birch St. *Bolt* —5E **23**
Birch St. *Hind* —2A **34**
Birch St. *Tyl* —6G **37**
Birch Tree Way. *Hor* —2G **19**
Birkdale Av. *Ath* —2C **36**
Birkdale Gdns. *Bolt* —6B **22**
Birkenhills Dri. *Bolt* —6E **21**
Birkett Clo. *Bolt* —3B **12**
Birkett Dri. *Bolt* —3B **12**
Birkleigh Wlk. *Bolt* —5A **24**
Birley St. *Bolt* —5C **12**
Birtenshaw Cres. *Brom X* —2F **13**
Bishopsbridge Clo. *Bolt* —1D **30**
Bishop's Clo. *Bolt* —3E **31**
Bishop's Rd. *Bolt* —3E **31**
Bispham Av. *Bolt* —4B **24**
Bispham Clo. *Bury* —2H **25**
Bispham St. *Bolt* —3G **23**
Blackbank St. *Bolt* —1D **22**
Blackburn Old Rd. *Eger* —3A **2**
Blackburn Rd. *Bolt & Tur* —5C **12**
Blackburn Rd. *Tur* —1H **3**
Blackhorse Av. *Blac* —1G **17**
Blackhorse Clo. *Blac* —6G **7**
Black Horse St. *Blac* —6G **7**
Black Horse St. *Bolt* —4C **22**
Black Horse St. *Farn* —6A **32**
Blackleach Dri. *Wor* —2H **39**
Blackledge St. *Bolt* —1A **30**
Black Moss Clo. *Rad* —2F **33**
Blackrod Brow. *Hor* —5F **7**
Blackrod By-Pass Rd. *Blac* —5G **7**
Blackrod Dri. *Bury* —2H **25**
BLACKROD STATION. *BR* —1A **18**
Blackshaw Ho. *Bolt* —5A **22**
Blackshaw La. *Bolt* —5A **22**
Blackshaw Row. *Bolt* —6A **22**
Blackthorne Clo. *Bolt* —2G **21**
Blackwood St. *Bolt* —1E **31**
Blair Av. *Hind* —4D **34**
Blair Av. *L Hul* —3F **39**
Blair La. *Bolt* —2H **23**
Blairmore Dri. *Bolt* —6E **21**
Blair St. *Brom X* —1D **13**
Blair St. *Kear* —1D **40**
Blake Av. *Ath* —2D **36**
Blakeborough Ho. Ath —4D **36**
(off Elizabeth St.)
Blakefield Dri. *Wor* —6A **40**
Blake Gdns. *Bolt* —1B **22**
Blake St. *Brom X* —2E **13**
Blake St. *Ram* —1B **22**
Blakey Clo. *Bolt* —1F **29**
Blandford Clo. *Tyl* —6G **37**
Blandford Rise. *Los* —2H **19**
Blantyre Av. *Wor* —5A **40**
Blantyre St. *Hind* —1A **34**
Blantyre St. *Swint* —6F **41**
Blaydon Clo. *Asp* —6H **17**
Bleakledge Gro. *Hind* —1A **34**
Bleakledge St. *Hind* —6B **26**
Bleak St. *Bolt* —1F **23**
Bleasdale Clo. *Los* —3H **19**
Bleasdale Rd. *Bolt* —1F **21**
Bleasdale Rd. *Hind* —2C **34**
Blenheim Rd. *Bolt* —4H **23**
Blenheim Rd. Est. *Bolt* —5B **24**
Blenheim St. *Tyl* —6F **37**
Bleriot St. *Bolt* —5C **12**
Blethyn Clo. *Bolt* —3H **29**
Bligh Rd. *W'houg* —4G **27**
Blindsill Rd. *Farn* —6F **31**
Blofield Ct. *Farn* —6H **31**
Bloomfield Rd. *Farn* —1H **39**
Bloomfield St. *Bolt* —6C **12**
Bloom St. *Ram* —3H **5**
Blossom St. *Tyl* —6F **37**
Blue Ribbon Wlk. *Swint* —6H **41**
Blundell La. *Blac* —1E **17**
Blundell St. *Ram* —4C **22**
Boardman Clo. *Ram* —1C **22**
Boardman St. *Bolt* —1H **17**
Boardman St. *Ram* —1C **22**
Board St. *Bolt* —5B **22**
Bodiam Rd. *G'mnt* —6H **5**

Bolderwood Dri. *Hind* —3A **34**
Bold St. *Bolt* —4D **22**
Bold St. *Clif* —5H **41**
Bollin Clo. *Kear* —1C **40**
Bollings Yd. *Bolt* —5D **22**
Bolton Old Rd. *Ath* —4D **36**
Bolton Rd. *And & Hor* —1F **7**
Bolton Rd. *Asp* —6G **17**
  (in two parts)
Bolton Rd. *Ath* —4D **36**
Bolton Rd. *Brad* —4G **13**
Bolton Rd. *Bury* —3H **25**
Bolton Rd. *Farn* —3H **31**
Bolton Rd. *Hawk* —4D **4**
Bolton Rd. *Kear* —6A **32**
Bolton Rd. *Pen* —5H **41**
Bolton Rd. *Rad* —1F **33**
Bolton Rd. *Tur* —3H **3**
Bolton Rd. *W'houg & Bolt* —5H **27**
Bolton Rd. *Wor* —3H **39**
Bolton Rd. W. *Ram* —4H **5**
BOLTON STATION. *BR* —5D **22**
Bolton St. *Bolt* —1D **22**
Bolton St. *Rad* —2H **33**
Bond Clo. *Hor* —6E **9**
Bond's La. *Adl* —2D **6**
Bond St. *Ath* —6F **37**
Boonfields. *Brom X* —1E **13**
Boothby Ct. *Swint* —6F **41**
Boothby Rd. *Swint* —6G **41**
Booth Ct. *Farn* —5H **31**
Booth Hall Rd. *Farn* —4H **15**
Booth Rd. *L Lev* —3D **32**
Booth St. *Bolt* —6A **12**
Booth St. *Tot* —3H **15**
Booth Way. *Tot* —4G **15**
Boot La. *Bolt* —2D **20**
Bordesley Av. *L Hul* —1E **39**
Bores Hill. *Wig* —6A **6**
Borough Av. *Pen* —6H **41**
Borrowdale Av. *Bolt* —3G **21**
Borsdane Av. *Hind* —3A **34**
Borsden St. *Swint* —5F **41**
Boscobel Rd. *Bolt* —3F **31**
Boscow Rd. *L Lev* —3C **32**
Boston Gro. *Leigh* —6G **35**
Boston St. *Bolt* —1C **22**
Bosworth St. *Hor* —5D **8**
Bottom o' th' Moor. *Brad* —1H **23**
Bottom o' th' Moor. *Hor* —6H **9**
Boundary Dri. *Brad F* —6C **24**
Boundary Gdns. *Bolt* —1B **22**
Boundary Ind. Est. *Bolt* —4C **24**
Boundary Rd. *Swint* —6H **41**
Boundary St. *Bolt* —1B **22**
Boundary St. *Tyl* —6G **37**
Boundary, The. *Clif* —3G **41**
Bournbrook Av. *L Hul* —1E **39**
Bourne Wlk. *Bolt* —2D **22**
Bournville Dri. *Bury* —1H **25**
Bourton Ct. *Tyl* —6B **38**
Bowden St. *Asp* —1B **26**
Bowden St. *Bolt* —5B **22**
Bowden St. *Ram* —2H **21**
Bowen St. *Bolt* —2H **21**
Bowgreave Av. *Bolt* —4B **24**
Bowkers Row. *Ram* —4D **22**
Bowker St. *Rad* —2H **33**
Bowker St. *Wor* —4F **39**
Bowland Clo. *Bury* —6G **15**
Bowland Dri. *Bolt* —1B **22**
Bowness Rd. *Bolt* —1B **30**
Bowness Rd. *L Lev* —1B **32**
Bowstone Hill Rd. *Bolt* —4D **14**
Bow St. *Bolt* —4D **22**
Boyle St. *Ram* —2G **21**
Bracken Av. *Wor* —4A **40**
Bracken Clo. *Bolt* —3B **12**
Bracken Lea. *W'houg* —2H **35**
Bracken Rd. *Ath* —5D **36**
Brackley Rd. *Bolt* —5G **29**
Brackley St. *Farn* —5H **31**
  (in two parts)
Brackley St. *Wor* —3G **39**
Bracondale Av. *Bolt* —1H **21**
Bradbourne Clo. *Bolt* —6C **22**
Braddyll Rd. *Bolt* —5F **29**
Bradford Av. *Bolt* —2F **31**

Bradford Cres. *Bolt* —1E **31**
Bradford Pk. Dri. *Bolt* —5F **23**
Bradford Rd. *Farn & Bolt* —4E **31**
Bradford St. *Bolt* —5E **23**
Bradford St. *Farn* —6H **31**
Bradley Fold Rd. *Brad T & Ain* —5D **24**
Bradley La. *Bolt* —6D **24**
Bradshaw Brow. *Bolt* —5G **13**
Bradshawgate. *Bolt* —4D **22**
Bradshaw Hall Dri. *Bolt* —3G **13**
Bradshaw La. *Adl* —1D **6**
Bradshaw La. *Hth C* —1D **6**
Bradshaw Meadows. *Bolt* —3H **13**
Bradshaw Rd. *Bolt & Tur* —4H **13**
Bradshaw Rd. *Tot* —3E **15**
Bradshaw St. *Ath* —4D **36**
Bradshaw St. *Bolt* —5D **22**
Bradshaw St. *Rad* —2H **33**
Bradwell Rd. *Bolt* —2E **23**
Brady St. *Hor* —5C **8**
Braemar Gdns. *Bolt* —6E **21**
Braemar Wlk. *Asp* —6H **17**
Braemar Wlk. *Bolt* —6E **21**
Braeside Gro. *Bolt* —6E **21**
Brailsford Rd. *Bolt* —6G **13**
Brakesmere Gro. *Wor* —3D **38**
Brambling Dri. *W'houg* —1F **35**
Bramcote Av. *Bolt* —6F **23**
Bramdean Av. *Bolt* —4A **14**
Bramford Clo. *W'houg* —1G **35**
Bramhall Av. *Bolt* —5C **14**
Bramhall St. *Bolt* —2F **31**
Bramley Rd. *Bolt* —3D **12**
Brammay Dri. *Tot* —3G **15**
Brampton Rd. *Bolt* —2G **29**
Brampton St. *Ath* —4D **36**
Brancker St. *W'houg* —4C **28**
Brandlesholme Rd. *G'mnt* —6H **5**
Brandon St. *Bolt* —1B **30**
Brandwood Fold. *Tur* —2A **4**
Brandwood St. *Bolt* —1A **30**
Branscombe Gdns. *Bolt* —6H **23**
Bransdale Clo. *Bolt* —1F **29**
Brantfell Gro. *Bolt* —3B **24**
Brantwood Dri. *Bolt* —3B **24**
Brathay Clo. *Bolt* —1B **24**
Braybrook Dri. *Bolt* —4D **20**
Brazley Av. *Bolt* —2E **31**
Brazley Av. *Hor* —2G **19**
Breaktemper. *W'houg* —4G **27**
Breckland Clo. *Bolt* —3D **20**
Breckles Pl. *Bolt* —6B **22**
  (off Kershaw St.)
Brecon Dri. *Hind* —4C **34**
Bredbury Dri. *Farn* —5A **32**
Breeze Hill Rd. *Ath* —2F **37**
Breightmet Dri. *Bolt* —4A **24**
Breightmet Fold La. *Bolt* —3B **24**
Breightmet Ind. Est. *Bolt* —4B **24**
Breightmet St. *Bolt* —5D **22**
Brent Clo. *Brad F* —6D **24**
Brentford Av. *Bolt* —1H **21**
Brentwood Clo. *Farn* —3G **31**
Brentwood Rd. *And* —1F **7**
Brian Rd. *Farn* —3E **31**
Briar Clo. *Hind* —3D **34**
Briarcroft Dri. *Ath* —6A **36**
Briarfield. *Eger* —5B **2**
Briarfield Rd. *Farn* —4E **31**
Briar Hill Av. *L Hul* —3C **38**
Briar Hill Clo. *L Hul* —3C **38**
Briar Hill Gro. *L Hul* —3C **38**
Briar Lea Clo. *Bolt* —1C **30**
Bride St. *Bolt* —1C **22**
  (in two parts)
Bridge Clo. *Rad* —3H **33**
Bridgecroft St. *Hind* —1A **34**
Bridgeman Pl. *Bolt* —5E **23**
Bridgeman St. *Bolt* —1B **30**
Bridgeman St. *Farn* —4H **31**
Bridgemere Clo. *Rad* —6H **25**
Bridges Ct. *Bolt* —5D **22**
  (off Soho St.)
Bridge's St. *Ath* —5B **36**
Bridge St. *Bolt* —3D **22**
Bridge St. *Farn* —4A **32**
Bridge St. *Hind* —1A **34**
Bridge St. *Hor* —5E **9**

Bridge St. *Rad* —5D **32**
Bridgewater Rd. *Wor* —5G **39**
Bridgewater St. *Bolt* —5B **22**
Bridgewater St. *Farn* —5H **31**
Bridgewater St. *Hind* —2A **34**
Bridgewater St. *L Hul* —3F **39**
Bridgewater Wlk. *Wor* —4H **39**
  (off Victoria Sq.)
Bridson La. *Bolt* —1H **23**
Brief St. *Bolt* —2G **23**
Briercliffe Rd. *Bolt* —6A **22**
Brierfield Av. *Ath* —3C **36**
Brierholme Av. *Eger* —6C **2**
Brierley Rd. E. *Swint* —6G **41**
Brierley Rd. W. *Swint* —6G **41**
Briery Av. *Bolt* —3H **13**
Brigade St. *Bolt* —4A **22**
Briggs Fold Clo. *Eger* —5C **2**
Briggs Fold Rd. *Eger* —5C **2**
Brighton Av. *Bolt* —2G **21**
Bright St. *Eger* —5B **2**
Briksdal Way. *Los* —4C **20**
Brimfield Av. *Tyl* —6A **38**
Brindle St. *Hind* —6B **26**
Brindle St. *Tyl* —6G **37**
Brindley Clo. *Ath* —6A **36**
Brindley Clo. *Farn* —5B **31**
Brindley St. *Bolt* —5D **12**
Brindley St. *Hor* —1E **19**
Brindley St. *Pen* —5H **41**
Brindley St. *Wor* —5H **39**
Brink's Row. *Hor* —4F **9**
Brinksway. *Bolt* —4C **20**
Brinksworth Clo. *Bolt* —3C **24**
Brinsop Hall La. *W'houg* —6C **18**
Brinsop St. *Asp* —1B **26**
Bristle Hall Way. *W'houg* —3H **27**
Bristol Av. *Bolt* —2G **23**
Brittannia Way. *Bolt* —1E **23**
Broach St. *Bolt* —1C **30**
Broadford Rd. *Bolt* —6F **21**
Broadgate. *Bolt* —6F **21**
Broadgate Ho. *Bolt* —6F **21**
Broadgreen Gdns. *Farn* —3H **31**
Broadhead Rd. *Tur* —1A **4**
Broadheath Clo. *W'houg* —4A **28**
Broadhurst Av. *Clif* —4H **41**
Broadhurst Ct. *Bolt* —1B **30**
Broadhurst St. *Bolt* —1B **30**
Broadhurst St. *Rad* —6H **25**
Broad Meadow. *Brom X* —1F **13**
Broadoak Clo. *Adl* —1E **7**
Broadoak Rd. *Bolt* —3E **31**
Broad o' th' La. *Bolt* —5C **12**
Broadstone Rd. *Bolt* —4H **13**
Broad Wlk. *W'houg* —6G **27**
Broadway. *Ath* —2F **37**
Broadway. *Farn* —4E **31**
Broadway. *Hind* —2B **34**
Broadway. *Hor* —6F **9**
Broadway. *Wor* —6H **39**
Broadwood. *Los* —4C **20**
Brock Av. *Bolt* —4H **23**
Brockenhurst Dri. *Bolt* —6B **14**
Brodick Dri. *Bolt* —5B **24**
Bromley Cross Rd. *Brom X* —2F **13**
BROMLEY CROSS STATION. *BR* —2F **13**
Bromwich St. *Bolt* —5E **23**
Bronte Clo. *Bolt* —2B **22**
Brook Bank. *Bolt* —1B **22**
Brookbottom. *Bolt* —3A **14**
Brook Bottom Rd. *Rad* —5H **25**
Brook Clo. *Hth C* —1D **6**
Brookdale. *Ath* —1F **37**
Brookdale. *Hth C* —1E **7**
Brookdale Clo. *Bolt* —1D **22**
Brookdale Rd. *Hind* —2B **34**
Brookdean Clo. *Bolt* —6A **12**
Brookfield Av. *Bolt* —2E **25**
  (in two parts)
Brookfield Dri. *Swint* —6G **41**
Brookfield St. *Bolt* —4F **23**
Brookfold La. *Bolt* —5B **14**
Brook Gdns. *Bolt* —5A **14**
Brookhey Av. *Bolt* —2D **30**
Brookhouse Av. *Farn* —1G **39**
Brook Ho. Clo. *Bolt* —6A **14**
Brook Ho. Clo. *G'mnt* —1G **15**

Brookhurst La. *L Hul* —1C **38**
Brookland Av. *Farn* —6G **31**
Brookland Av. *Hind* —2A **34**
Brookland Gro. *Bolt* —1G **21**
Brooklands. *Hor* —6E **9**
Brooklands Av. *Ath* —3D **36**
Brooklands Rd. *Ram* —5H **5**
Brooklyn St. *Bolt* —2C **22**
Brook Meadow. *W'houg* —4A **28**
Brooks Av. *Rad* —5H **25**
Brookside Av. *Farn* —6G **31**
Brookside Clo. *Ath* —3E **37**
Brookside Clo. *Bolt* —4H **13**
Brookside Cres. *G'mnt* —6G **5**
Brookside Cres. *Wor* —4A **40**
Brookside Pl. *Hind* —1A **34**
Brookside Rd. *Bolt* —3H **23**
Brookside Rd. *Stand* —2A **16**
Brookside Wlk. *Rad* —4H **25**
Brook St. *Ath* —4A **32**
Brook St. *Farn* —4A **32**
Brook St. *Hth C* —1E **7**
Brook St. *Rad* —6C **32**
Brook St. *W'houg* —4H **27**
Brookthorpe Rd. *Bury* —6H **15**
Brookwater Clo. *Tot* —3H **15**
Brooky Moor. *Tur* —1A **4**
Broomfield Clo. *Ain* —3E **25**
Broomfield Rd. *Bolt* —1A **30**
Broomhey Av. *Wig* —6A **16**
Broom St. *Bolt* —4E **23**
Broom Way. *W'houg* —3A **28**
Brougham St. *Wor* —4G **39**
Brough Clo. *Hind* —4B **34**
Broughton Av. *L Hul* —2E **39**
Broughton St. *Bolt* —1B **22**
Browning Av. *Ath* —2D **36**
Browning Clo. *Bolt* —2B **22**
Browning Wlk. *Ath* —2D **36**
Brownlow Rd. *Hor* —5D **8**
Brownlow Way. *Bolt* —2C **22**
Browns Rd. *Brad F* —5D **24**
Brown St. *Bick* —6A **34**
Brown St. *Blac* —1H **17**
Brown St. *Bolt* —4D **22**
Brown St. *Rad* —5H **25**
Broxton Av. *Bolt* —2H **29**
Brunel St. *Bolt* —6B **12**
Brunel St. *Hor* —1E **19**
Brunswick St. *Farn* —1F **19**
Brunswick Ct. *Bolt* —3C **22**
Bryant's Acre. *Bolt* —4D **20**
Bryantsfield. *Bolt* —5C **20**
Bryngs Dri. *Bolt* —5B **14**
Brynheys Clo. *L Hul* —2E **39**
Bryn Lea Ter. *Bolt* —5G **11**
Bryn Wlk. *Bolt* —3D **22**
Bryon Rd. *G'mnt* —5H **5**
Bryony Clo. *Wor* —3H **39**
Buchanan Dri. *Hind* —4D **34**
Buchanan St. *Pen* —6H **41**
Buckingham Av. *Hor* —1G **19**
Buckingham Pl. *Tyl* —5F **37**
Buckley La. *Farn* —1F **39**
Buckley Sq. *Farn* —1F **39**
Buckley St. *Rad* —2H **33**
Buckthorn Clo. *W'houg* —3H **27**
Buile Hill Av. *L Hul* —3F **39**
Buile Hill Gro. *L Hul* —2F **39**
Buller St. *Bolt* —3G **31**
Bullough St. *Ath* —4C **36**
  (in two parts)
Bullows Rd. *L Hul* —1D **38**
Bulrush Clo. *Wor* —2H **39**
Bulteel St. *Bolt* —3A **30**
Burford Dri. *Bolt* —6C **22**
Burford Rd. *Swint* —5G **41**
Burghley Clo. *Rad* —6D **24**
Burghley Dri. *Rad* —6D **24**
Burgundy Dri. *Tot* —2H **15**
Burke St. *Bolt* —1B **22**
Burlington St. *Hind* —2A **34**
Burnaby St. *Bolt* —6B **22**
Burnden Rd. *Bolt* —6F **23**
Burnham Av. *Bolt* —2G **21**
Burnham Wlk. *Farn* —4H **31**
Burnleigh Ct. *Bolt* —5B **14**
Burnmoor Rd. *Bolt* —3B **24**

Burns Av. *Ath* —2D **36**
Burns Av. *Swint* —6F **41**
Burnside Clo. *Rad* —4H **25**
Burnside Rd. *Bolt* —1H **21**
Burns Rd. *L Hul* —2F **39**
Burns St. *Bolt* —5D **22**
Burnt Edge La. *Hor* —3B **10**
Burton Av. *Tot* —5H **15**
Bury & Bolton Rd. *Rad* —4E **25**
Bury Ind. Est. *Bolt* —4B **24**
Bury New Rd. *Bolt* —4E **23**
Bury New Rd. *Brei* —4C **24**
Bury Old Rd. *Ain* —2C **24**
Bury Old Rd. *Bolt* —4E **23**
  (in two parts)
Bury Rd. *Bolt* —4F **23**
Bury Rd. *Tot* —3H **15**
Bury Rd. *Tur* —4B **4**
Bury St. *Ram* —4E **23**
Bushell St. *Bolt* —1H **29**
Bute St. *Bolt* —2H **21**
Buttercup Av. *Wor* —4D **38**
Buttercup Clo. *Ath* —2D **36**
Butterfield Rd. *Bolt* —5F **29**
Buttermere Clo. *L Lev* —1B **32**
Buttermere Rd. *Farn* —5C **30**
Buxton Clo. *Ath* —3E **37**
Byland Clo. *Bolt* —1C **22**
Byland Gdns. *Rad* —1G **33**
Byng St. *Farn* —5H **31**
Byng St. *W'houg* —6D **26**
Byng St. E. *Bolt* —5D **22**
Byrness Clo. *Ath* —3E **37**
Byron Av. *Rad* —1F **33**
Byron Av. *Swint* —6G **41**
Byron Gro. *Ath* —2D **36**
Byron Rd. *G'mnt* —5H **5**
Byron Wlk. *Farn* —6F **31**

Cable St. *Bolt* —3D **22**
Cadman Gro. *Hind* —3A **34**
Caernarvon Clo. *G'mnt* —6H **5**
Caernarvon Rd. *Hind* —4C **34**
Cairngorm Dri. *Bolt* —6E **21**
Caithness Dri. *Bolt* —5E **21**
Caldbeck Av. *Bolt* —2F **21**
Caldbeck Dri. *Farn* —6C **30**
Calder Av. *Hind* —4E **35**
Calder Dri. *Kear* —2D **40**
Calder Dri. *Swint* —6G **41**
Calder Dri. *Wor* —5E **39**
Calder Rd. *Bolt* —2C **30**
Calderwood Clo. *Tot* —3H **15**
Caldford Clo. *Asp* —5G **17**
Caldwell St. *W'houg* —2H **35**
Caleb Clo. *Tyl* —6F **37**
Caledonia St. *Bolt* —6A **22**
Caley St. *Bolt* —1F **21**
Calf Hey Clo. *Rad* —2F **33**
Callis Rd. *Bolt* —5A **22**
Calver Hey Clo. *W'houg* —3C **28**
Calverleigh Clo. *Bolt* —3G **29**
Calvert Rd. *Bolt* —2C **30**
Calvin St. *Bolt* —2D **22**
Cambourne Dri. *Bolt* —6G **21**
Cambourne Dri. *Hind* —5E **35**
Cambria Sq. *Bolt* —6A **22**
  (off Cambria St.)
Cambria St. *Bolt* —6A **22**
Cambridge Clo. *Farn* —4D **30**
Cambridge Dri. *L Lev* —1D **32**
Cambridge Rd. *Los* —3H **19**
Cambridge St. *Ath* —5C **36**
Camden Clo. *Ain* —2E **25**
Camellia Clo. *Bolt* —4H **21**
Cameron St. *Bolt* —4B **12**
Campbell Ct. *Farn* —3G **31**
Campbell Ho. *Farn* —4F **31**
Campbell Rd. *Bolt* —3G **29**
Campbell St. *Farn* —3F **31**
Campbell Wlk. *Farn* —3G **31**
Campbell Way. *Wor* —4G **39**
  (in two parts)
Camrose Gdns. *Bolt* —2C **22**
Cams Acre Clo. *Rad* —2G **33**
Cams La. *Rad* —3G **33**
Canada St. *Bolt* —1A **22**
Canada St. *Hor* —6D **8**

Canal Row. *Wig* —3B **16**
Canal St. *Adl* —3E **7**
Candahar St. *Bolt* —2E **31**
Canmore Clo. *Bolt* —2G **29**
Canning Dri. *Bolt* —1C **22**
Canning St. *Bolt* —1C **22**
Cannon Gro. *Bolt* —5B **22**
Cannon St. *Ath* —4D **36**
Cannon St. *Bolt* —6B **22**
Cannon St. *Rad* —6H **25**
Cannon St. N. *Bolt* —5B **22**
Cann St. *Tot* —1F **15**
Canons Clo. *Bolt* —1H **21**
Canterbury Clo. *Ath* —3E **37**
Canterbury Gro. *Bolt* —2B **30**
Canute St. *Bolt* —2G **23**
Canute St. *Bolt* —2G **33**
Capitol Clo. *Bolt* —6G **11**
Cappadocia Way. *W'houg* —1F **35**
Captain Fold Rd. *L Hul* —2C **38**
Captain Lees Gdns. *W'houg* —5A **28**
Captain Lees Rd. *W'houg* —4A **28**
Captain's Clough Rd. *Bolt* —1G **21**
Captain St. *Hor* —5D **8**
Car Bank Av. *Ath* —3D **36**
Car Bank Cres. *Ath* —3D **36**
Car Bank Sq. *Ath* —3D **36**
Car Bank St. *Ath* —3B **36**
  (in four parts)
Cardigan St. *Rad* —5H **25**
Cardwell Gdns. *Bolt* —1C **22**
Carisbrooke Dri. *Bolt* —6D **12**
Carleton Clo. *Wor* —6G **39**
Carlisle Clo. *L Lev* —3C **32**
Carlisle Pl. *Adl* —1E **7**
Carlisle St. *Brom X* —1E **13**
Carlisle St. *Hind* —1A **34**
Carlisle St. *Pen* —5H **41**
Carlisle Way. *Asp* —6H **17**
Carl St. *Bolt* —1B **22**
Carlton Av. *Bolt* —1G **29**
Carlton Clo. *Blac* —1H **17**
Carlton Clo. *Bolt* —6A **14**
Carlton Gdns. *Farn* —4H **31**
Carlton Gro. *Hor* —2F **19**
Carlton Gro. *Hind* —4B **34**
Carlton Rd. *Wor* —6G **39**
Carlton St. *Bolt* —5D **22**
Carlton St. *Farn* —4H **31**
Carnation Rd. *Farn* —4E **31**
Carnforth Av. *Hind* —2C **34**
Carnforth Dri. *G'mnt* —5H **5**
Caroline St. *Bolt* —1B **30**
Carr Brook Dri. *Adl* —2H **7**
Carr Comn. Rd. *Hind* —4E **35**
Carrfield Av. *L Hul* —3C **38**
Carrfield Gro. *L Hul* —3C **38**
Carrie St. *Ram* —3H **21**
Carrington Dri. *Bolt* —6D **22**
Carrington Rd. *Adl* —2D **6**
Carron Gro. *Bolt* —4B **24**
Carr Rd. *Hor* —4D **8**
Carrslea Clo. *Rad* —6G **25**
Carr St. *Hind* —1A **34**
Carrwood Hey. *Ram* —3H **5**
Carslake Av. *Bolt* —3A **22**
Carswell Clo. *Tyl* —6A **38**
Carter St. *Bolt* —1E **31**
Carter St. *Kear* —6A **32**
Cartleach Gro. *Wor* —5E **39**
Cartleach La. *Wor* —5D **38**
Cartmel Clo. *Bolt* —3D **28**
Cartmel Cres. *Bolt* —1G **23**
Cartwright Gro. *Leigh* —6F **35**
Carwood Gro. *Hor* —2F **19**
Cashmore Dri. *Hind* —3A **34**
Castle Cres. *Hor* —4E **9**
Castle Croft. *Bolt* —6H **13**
Castlecroft Av. *Blac* —1H **17**
Castle Dri. *Adl* —3C **6**
Castleford Clo. *Bolt* —3B **22**
Castle Gro. *Ram* —5H **5**
Castle Hill Pk. *Hind* —6B **26**
Castle Hill Rd. *Hind* —1A **34**
Castle Hill St. *Bolt* —6F **13**
  (in two parts)

Castle Ho. La. *Adl* —3C **6**
Castle M. *Farn* —6H **31**
Castle Rise. *Hind* —2A **34**
  (in three parts)
Castle St. *Bolt* —4E **23**
Castle St. *Farn* —6H **31**
Castle St. *Hind* —1A **34**
Castle St. *Tyl* —6F **37**
Castleton Ct. *Tyl* —6F **37**
  (off Castle St.)
Castleton St. *Bolt* —1F **23**
Castle Way. *Hind* —2B **34**
Castlewood Sq. *Bolt* —2G **23**
Caterham Av. *Bolt* —3G **29**
Catherine St. *Bolt* —3H **29**
Catherine St. E. *Hor* —5D **8**
Catherine St. W. *Hor* —4D **8**
Cato St. *Ram* —3H **5**
Catterall Cres. *Bolt* —3H **13**
Catterick Dri. *L Lev* —2C **32**
Cavendish Gdns. *Bolt* —2A **30**
Cavenham Gro. *Bolt* —3A **22**
Cawdor Av. *Farn* —3F **31**
Cawdor Ct. *Farn* —3G **31**
Cawdor St. *Farn* —3G **31**
Cawdor St. *Hind* —2A **34**
Cawdor St. *Swint* —6F **41**
Cawdor St. *Wor* —5A **40**
Cawdor Wlk. *Farn* —3G **31**
Cawthorne Ct. *Wdly* —6F **41**
Cecilia Ct. N. *Bolt* —1E **31**
Cecilia Ct. S. *Bolt* —1E **31**
Cecilia St. *Bolt* —1E **31**
Cecil St. *Bolt* —4E **23**
Cecil St. *Wor* —4H **39**
Cedar Av. *Ath* —3B **36**
Cedar Av. *Hind* —4B **34**
Cedar Av. *Hor* —2G **19**
Cedar Av. *L Lev* —3D **32**
Cedar Dri. *Clif* —3F **41**
Cedar Gro. *Farn* —5F **31**
Cedar Gro. *W'houg* —6G **27**
Cedar Wood Ct. *Bolt* —4G **21**
Cellini Sq. *Bolt* —2B **22**
Cemetery Rd. *Bolt* —4F **23**
Cemetery Rd. *Farn* —4B **32**
Cemetery Rd. *Rad* —1H **33**
Cemetery Rd. N. *Swint* —5G **41**
Cemetery Rd. S. *Swint* —6G **41**
Cemetery Rd. *W'houg* —4G **27**
Cemetery View. *Adl* —3D **6**
Centaur Clo. *Pen* —5H **41**
Centenary Ct. *Bolt* —1D **30**
Central Av. *Ath* —3E **37**
Central Av. *Farn* —5E **31**
Central Av. *Wor* —2G **39**
Central Dri. *W'houg* —4G **27**
Central St. *Bolt* —4C **22**
Centre Gdns. *Bolt* —2B **22**
Centre Pk. Rd. *Bolt* —2B **22**
Century Lodge. *Farn* —5F **31**
Century Mill Ind. Est. *Farn* —5F **31**
Cestrian St. *Bolt* —2D **30**
Chadwick St. *Bolt* —5E **23**
Chadwick St. *Hind* —1A **34**
Chadwick St. *L Lev* —2D **32**
Chadwick St. *Swint* —6H **41**
Chale Grn. *Bolt* —4A **14**
Chalfont Dri. *Wor* —6A **40**
Chalfont St. *Bolt* —1D **22**
  (in two parts)
Challinor St. *Ram* —3H **21**
Chamberlain St. *Bolt* —5B **22**
Chancery La. *Bolt* —4D **22**
Chanters Av. *Ath* —5E **37**
Chanters Ind. Est. *Ath* —5F **37**
Chantry Brow. *Hor* —6G **7**
Chantry Clo. *W'houg* —2H **35**
Chapel All. *Ram* —4D **22**
  (off Deansgate)
Chapelfield Dri. *Wor* —4F **39**
Chapel Fields. *Tur* —3G **3**
Chapel Fields La. *Hind* —2A **34**
Chapelfield St. *Bolt* —6C **12**
Chapel Grange. *Tur* —3G **3**
Chapel Grn. Rd. *Hind* —1A **34**
Chapel Pl. *Bolt* —6G **23**
Chapelstead. *W'houg* —2H **35**
Chapel St. *Adl* —3D **6**

Chapel St. *Ath* —4D **36**
Chapel St. *Bick* —6A **34**
Chapel St. *Blac* —1H **17**
Chapel St. *Eger* —4B **2**
Chapel St. *Farn* —5A **32**
Chapel St. *Hind* —2A **34**
Chapel St. *Hor* —6E **9**
Chapel St. *L Lev* —2D **32**
Chapel St. *Pen* —6H **41**
Chapel St. *Rad* —5D **32**
Chapel St. *Tot* —2G **15**
Chapel St. *Tyl* —6G **37**
Chapeltown Rd. *Brom X* —2F **13**
Chapeltown Rd. *Rad* —5H **33**
Chapman St. *Bolt* —2H **21**
Chard St. *Rad* —2H **33**
Charles Ct. *Bolt* —3D **22**
Charles Holden St. *Bolt* —5B **22**
Charles Ho. *Ram* —3D **22**
Charles Rupert St. *Ram* —1D **22**
Charles St. *Bolt* —3D **22**
Charles St. *Eger* —4B **2**
Charles St. *Hind* —6A **34**
Charles St. *Kear* —6A **32**
Charles St. *Swint* —6F **41**
Charles St. *Tyl* —6F **37**
Charleston Ct. *Tyl* —6F **37**
Charlesworth Av. *Bolt* —2F **31**
Charlesworth Av. *Hind* —3B **34**
Charlock Av. *W'houg* —1G **35**
Charlotte St. *Bolt* —1C **22**
Charlotte St. *Tur* —3G **3**
Charlton Dri. *Wdly* —5F **41**
Charnock Dri. *Bolt* —2C **22**
Charnwood Clo. *Wor* —5G **39**
Chase, The. *Bolt* —4G **21**
Chassen Rd. *Bolt* —4H **21**
Chatburn Rd. *Bolt* —6F **11**
Chatham Gdns. *Bolt* —6B **22**
Chatham Pl. *Bolt* —6B **22**
Chatsworth Ct. *Hth C* —1D **6**
Chatsworth Gro. *L Lev* —1C **32**
Chatsworth Rd. *Rad* —6F **25**
Chatteris Clo. *Hind* —3A **34**
Chatton Clo. *Bury* —1H **25**
Chaucer Av. *Rad* —1G **33**
Chaucer Gro. *Ath* —2D **36**
Chaucer St. *Bolt* —1B **22**
Cheadle St. *Ram* —4C **22**
Chedworth Cres. *L Hul* —1E **39**
Chedworth Gro. *Bolt* —6C **22**
  (off Parrot St.)
Cheethams, The. *Blac* —4A **18**
Chelburn Clo. *Bick* —6A **34**
Chelford Av. *Bolt* —4C **12**
Chelford Dri. *Swint* —5G **41**
Chelmer Clo. *W'houg* —4H **27**
Chelsea Av. *Rad* —1F **33**
Chelsea Rd. *Bolt* —2B **30**
Chelwood Clo. *Bolt* —2B **12**
Chemist St. *Ram* —4C **22**
Cherington Dri. *Tyl* —6A **38**
Cheriton Dri. *Bolt* —5A **24**
Cheriton Gdns. *Hor* —5D **8**
Cherry Tree Av. *Farn* —5D **30**
Cherry Tree Gro. *Ath* —3C **36**
Cherry Tree Way. *Bolt* —5F **13**
Cherry Tree Way. *Hor* —2G **19**
Cherrywood Av. *Bolt* —6G **29**
Cherrywood Clo. *Wor* —6F **39**
Cherwell Clo. *Asp* —5G **17**
Cherwell Rd. *W'houg* —4H **27**
Chesham Av. *Bolt* —1C **22**
Chesham St. *Bolt* —3H **29**
Chessington Rise. *Clif* —4H **41**
Chester Av. *L Lev* —1C **32**
Chester Clo. *L Lev* —1D **32**
Chester Pl. *Adl* —1E **7**
Chester Rd. *Tyl* —6B **38**
Chester St. *Ath* —5E **37**
Chester St. *Hind* —5D **34**
Chester St. *Ram* —2D **22**
Chesterton Dri. *Bolt* —6E **21**
Chester Wlk. *Bolt* —1C **22**
  (off Boardman St.)
Chestnut Av. *Ath* —3C **36**
Chestnut Av. *Tot* —4H **15**
Chestnut Av. *Wor* —5H **39**
Chestnut Clo. *Bolt* —1H **29**

Crescent, The. *Hor* —2G **19**
Crescent, The. *L Lev* —3D **32**
Crescent, The. *Rad* —6F **25**
Crescent, The. *W'houg* —6G **27**
Cressingham Rd. *Bolt* —1G **29**
Crestfield. *Wor* —3E **39**
Crestfold. *L Hul* —3E **39**
Criccieth Av. *Asp* —6H **17**
Cricketfield La. *Wor* —4G **39**
Cricket St. *Bolt* —6B **22**
Crinan Way. *Bolt* —5B **24**
Cringle Clo. *Bolt* —1E **29**
Crippen St. *Ath* —6A **36**
Croal St. *Ram* —5B **22**
Croasdale St. *Bolt* —2D **22**
(in two parts)
Crocus St. *Bolt* —5D **12**
Croft Av. *Ath* —5D **36**
Croft Dri. *Tot* —3G **15**
Crofters Wlk. *Bolt* —3G **13**
Croft Ga. *Bolt* —5A **14**
Croft Gro. *L Hul* —2D **38**
Croftlands. *Ram* —4H **5**
Croft La. *Bolt* —6F **23**
Croft Side. *Bolt* —6A **24**
Croftside Av. *Wor* —4A **40**
Croftside Clo. *Wor* —4A **40**
Croftside Gro. *Wor* —4A **40**
Croft St. *Bolt* —1F **31**
Croft St. *L Hul* —2D **38**
Croft St. *W'houg* —2H **27**
Crombouke Dri. *Leigh* —6G **35**
Cromdale Av. *Bolt* —3H **21**
Cromer Av. *Bolt* —2G **23**
Cromer Dri. *Ath* —5H **35**
Cromford Clo. *Bolt* —2C **22**
Cromford Gdns. *Bolt* —1D **22**
Crompton Av. *Bolt* —3A **24**
Crompton Clo. *Bolt* —5E **13**
Crompton Ho. *Swint* —6G **41**
Crompton Rd. *Los* —3H **19**
Crompton Rd. *Rad* —5C **32**
Crompton St. *Farn* —6A **32**
Crompton St. *L Hul* —2B **38**
Crompton St. *Ram* —3E **23**
Crompton St. *Wor* —5B **40**
Crompton Vale. *Bolt* —3H **23**
Crompton Way. *Bolt* —5D **12**
Cromwell Rd. *Swint* —6G **41**
Cromwell St. *Ram* —4C **22**
Crook St. *Adl* —2D **6**
Crook St. *Bolt* —5D **22**
Crook St. *Hind* —3A **34**
Cropton Way. *Hind* —4B **34**
Crosby Av. *Wor* —5B **40**
Crosby Gro. *Ath* —3E **37**
Crosby Ho. *Ram* —3D **22**
(off Haydock St.)
Crosby Rd. *Bolt* —3H **21**
Crosby Rd. *Rad* —4G **25**
Crosby St. *Ath* —3E **37**
Crossdale Rd. *Bolt* —3A **24**
Crossdale Rd. *Hind* —2B **34**
(in two parts)
Crossen St. *Bolt* —6G **23**
Cross Field Dri. *Rad* —2G **33**
Crossfields. *Brom X* —1G **13**
Crossford Dri. *Bolt* —6E **21**
Cross Hill Wlk. *Bolt* —6E **21**
Cross La. *Holc* —2H **5**
Crossley St. *L Lev* —2C **32**
Crossmoor Dri. *Bolt* —3F **23**
Cross Ormrod St. *Bolt* —5B **22**
Cross St. *Asp* —5F **17**
Cross St. *Ath* —3B **36**
Cross St. *Bolt* —3D **22**
Cross St. *Brom X* —2D **12**
Cross St. *Farn* —4H **31**
Cross St. *Kear* —2D **40**
Cross St. *L Lev* —2D **32**
Cross St. *Tyl* —6F **37**
Croston Av. *Adl* —1E **7**
Croston St. *Bolt* —1A **30**
Crowborough Clo. *Los* —2H **19**
Crowland Rd. *Bolt* —1G **23**
Crowndale. *Tur* —1H **3**
Crown Gdns. *Tur* —1H **3**
Crown La. *Hor* —1B **18**

Crown Point. *Tur* —1H **3**
Crown St. *Ath* —4C **36**
Crown St. *Bolt* —4D **22**
Crows Nest. *Bolt* —6B **24**
Croyde Clo. *Bolt* —6B **14**
Crummock Clo. *L Lev* —2B **32**
Crummock Gro. *Farn* —6C **30**
Crumpsall St. *Bolt* —1C **22**
Crundale Rd. *Bolt* —3E **13**
Culham Clo. *Bolt* —1B **22**
Culross Av. *Bolt* —5E **21**
Cumberland Av. *Clif* —5H **41**
Cumberland Av. *Tyl* —5F **37**
Cumberland Rd. *Ath* —3E **37**
Cumbermere La. *Tyl* —5H **37**
Cundey St. *Bolt* —2A **22**
Cunliffe Brow. *Bolt* —1H **21**
Cunliffe St. *Bolt* —5D **22**
Cunningham Rd. *W'houg* —6F **27**
Curteis St. *Hor* —5D **8**
Curtis St. *Bolt* —3A **30**
Curzon Rd. *Bolt* —4A **22**
Cuthbert St. *Bolt* —3H **29**
Cypress Gro. *Kear* —6B **32**
Cyril St. *Bolt* —6E **23**

Daffodil Rd. *Farn* —4E **31**
Daffodil St. *Ram* —4D **12**
Dagmar St. *Wor* —3G **39**
Daisy Av. *Farn* —4E **31**
Daisyfield Wlk. *Wor* —4H **39**
Daisy Hall Dri. *W'houg* —1G **35**
Daisyhill Ct. *W'houg* —2H **35**
Daisy Hill Dri. *Adl* —1E **7**
DAISY HILL STATION. *BR* —1H **35**
Daisy St. *Bolt* —1A **30**
Dalby Rd. *Bolt* —2D **34**
Dalebank. *Clif* —2C **36**
Dale Bank M. *Clif* —2F **41**
Dalebrook Clo. *L Lev* —1C **32**
Dalegarth Av. *Bolt* —4C **20**
Dale Lee. *W'houg* —5A **28**
Dales Brow. *Bolt* —3D **12**
Dales Gro. *Wor* —6B **40**
Dale St. *Kear* —4A **32**
Dale St. *W'houg* —2H **35**
Dale St. E. *Hor* —1F **19**
Dale St. Ind. Est. *Rad* —3H **33**
Dale St. W. *Hor* —1F **19**
Dalkeith Gro. *Bolt* —6F **21**
Dalkeith Rd. *Hind* —2C **34**
Dalston Gdns. *Bolt* —1C **22**
(off Gladstone St.)
Dalton Clo. *Ram* —3H **5**
Dalton Fold. *W'houg* —5H **27**
Dalwood Clo. *Hind* —3B **34**
Dalymount Clo. *Bolt* —1F **23**
Dams Head Fold. *W'houg* —4H **27**
Danby Rd. *Bolt* —2C **30**
Danebridge Clo. *Farn* —5A **32**
Danes Av. *Hind* —1A **34**
Danes Brook Clo. *Hind* —1A **34**
Danesbury Rd. *Bolt* —5F **13**
Danes Grn. *Hind* —6A **26**
Danesway. *Hth C* —1D **6**
Darbishire St. *Bolt* —2E **23**
Darby La. *Hind* —1A **34**
Darbyshire Clo. *Bolt* —3A **22**
Dark La. *Blac* —5F **7**
Darley Av. *Farn* —4A **32**
Darley Ct. *Bolt* —1A **22**
Darley Gro. *Farn* —4A **32**
Darley St. *Bolt* —2B **22**
Darley St. *Farn* —5A **32**
Darley St. *Hor* —4D **8**
Darley Ter. *Bolt* —2C **22**
Darlington St. *Tyl* —6G **37**
Darlington St. E. *Tyl* —6H **37**
Darnley Av. *Wor* —6G **39**
Darvel Clo. *Bolt* —5B **24**
Darwen Rd. *Eger* —6C **2**
Darwin St. *Bolt* —1B **22**
Davenport Av. *Rad* —5H **25**
Davenport Fold. *Bolt* —6C **14**
Davenport Fold Rd. *Bolt* —5C **14**
Davenport Gdns. *Bolt* —3C **22**
Davenport St. *Bolt* —3C **22**
David Brow. *Bolt* —3G **29**

Davies St. *Kear* —6C **32**
Dawes St. *Bolt* —5D **22**
Dawley Clo. *Bolt* —5A **22**
Dawson La. *Ram* —4C **22**
Dawson St. *Ath* —4C **36**
Deacon Av. *Swint* —6G **41**
Deakins Bus. Pk. *Eger* —6B **2**
Dealey Rd. *Bolt* —1G **29**
Deal St. *Bolt* —2D **30**
Dean Clo. *Farn* —5D **30**
Dean Ct. *Bolt* —3E **23**
Deane Av. *Bolt* —6H **21**
Deane Chu. Clough. *Bolt* —6G **21**
Deane Chu. La. *Bolt* —1H **29**
Deane Rd. *Bolt* —6A **22**
Deane Wlk. *Bolt* —5C **22**
(in two parts)
Dean Ho. *Ram* —3D **22**
Deansgate. *Bolt* —4C **22**
Deansgate. *Hind* —1A **34**
Dean St. *Rad* —2H **33**
Dean St. *Ram* —3D **22**
Dearden Av. *L Hul* —2E **39**
Dearden St. *L Lev* —1C **32**
Dearncamme Clo. *Bolt* —4F **13**
Debenham Ct. *Farn* —6H **31**
Dee Dri. *Kear* —2D **40**
Deepdale Rd. *Bolt* —3A **24**
Defence St. *Bolt* —5B **22**
Defiance St. *Ath* —4C **36**
De Lacy Dri. *Bolt* —2F **23**
Delamere Gdns. *Bolt* —6B **12**
Dellside Gro. *Wor* —4A **40**
Dell St. *Bolt* —4G **13**
Dell, The. *Bolt* —4G **13**
Delph Av. *Eger* —4B **2**
Delph Brook Way. *Eger* —5B **2**
Delph Gro. *Leigh* —6F **35**
Delph Hill Clo. *Bolt* —1E **21**
Delphi Av. *Wor* —5H **39**
Delph La. *Bolt* —2E **25**
Delph St. *Bolt* —6B **22**
Denbigh Gro. *Ath* —2C **36**
Denbigh Rd. *Bolt* —6F **23**
Dene Bank. *Bolt* —4G **13**
Dene St. *Bolt* —4G **13**
Denham Clo. *Bolt* —3E **13**
Denham St. *Rad* —5H **25**
Denstone Cres. *Bolt* —1A **24**
Dentdale Clo. *Bolt* —5D **20**
Denton Rd. *Bolt* —5D **24**
Derby Pl. *Adl* —1E **7**
Derby Rd. *Rad* —5C **32**
Derbyshire Rd. *Ram* —6C **12**
Derby St. *Ath* —3C **36**
Derby St. *Bolt* —1B **30**
Derby St. *Hor* —2F **19**
Derby St. *Tyl* —6G **37**
Derby St. *W'houg* —4H **27**
Derwent Clo. *Hor* —1E **19**
Derwent Clo. *L Lev* —2B **32**
Derwent Clo. *Wor* —5F **39**
Derwent Dri. *Kear* —2D **40**
Derwent Rd. *Farn* —5D **30**
Derwent Rd. *Hind* —2A **34**
Design St. *Bolt* —1H **29**
Desmond Av. *Ath* —5A **36**
(in two parts)
Destructor Rd. *Swint* —6G **41**
Devoke Av. *Wor* —5A **40**
Devoke Gro. *Farn* —5C **30**
Devon Clo. *Asp* —6H **17**
Devon Clo. *L Lev* —1D **32**
Devon Dri. *Bolt* —2E **25**
Devon Rd. *Stand* —2A **16**
Devon Rd. *Tyl* —5H **37**
Devonshire Pl. *Ath* —3D **36**
Devonshire Rd. *Ath* —2C **36**
Devonshire Rd. *Bolt* —2H **21**
Devonshire Rd. *Wor* —1G **39**
Devon St. *Bolt* —4E **23**
Devon St. *Farn* —3H **31**
Devon St. *Hind* —2A **34**
Devon St. *Pen* —5H **41**
Dewberry Clo. *Swint* —5G **41**
Dewhurst Clough Rd. *Eger* —5B **2**
Dewhurst Ct. *Eger* —5B **2**
Dewhurst Rd. *Bolt* —6A **14**
Dial Ct. *Farn* —4H **31**

Dicconson La. *Asp & W'houg* —1B **26**
Dickenson St. *Hind* —3A **34**
Dickinson Clo. *Bolt* —2C **22**
Dickinson Ct. *Hor* —5D **8**
Dickinson St. *Bolt* —2C **22**
Dickinson St. W. *Hor* —5C **8**
Dickinson Ter. *Bolt* —2C **22**
(off Dickinson St.)
Dijon St. *Bolt* —1A **30**
Dilham Ct. *Bolt* —3A **22**
Dimple Pk. *Eger* —4B **2**
Dimple Rd. *Eger* —3A **2**
Dingle Wlk. *Bolt* —3D **22**
Dinsdale Dri. *Bolt* —6B **22**
Division St. *Bolt* —1D **30**
Dixey St. *Hor* —6C **8**
Dixon Dri. *Clif* —3G **41**
Dixon St. *Hor* —6D **8**
Dixon St. *W'houg* —2G **27**
Dobb Brow Rd. *W'houg* —6F **27**
DOBB'S BROW STATION. *BR* —6F **27**
Dobhill St. *Farn* —5H **31**
Dobsen St. *Ram* —1B **22**
Dobson Rd. *Bolt* —4A **22**
Dodd La. *W'houg* —2C **26**
Dodhurst Rd. *Hind* —1B **34**
Doe Hey Gro. *Farn* —3F **31**
Doe Hey Rd. *Bolt* —3F **31**
Doffcocker Brow. *Ram* —2F **21**
Doffcocker La. *Bolt* —2F **21**
Doman St. *Bolt* —6D **22**
Doncaster Clo. *L Lev* —2B **32**
Donnington Gdns. *Wor* —4H **39**
Donnington Rd. *Rad* —6E **25**
Don St. *Bolt* —2B **30**
Doodson Sq. *Farn* —5H **31**
Dootson St. *Hind* —1C **34**
Dorchester Av. *Bolt* —2A **24**
Doris Av. *Bolt* —4H **23**
Dorket Gro. *W'houg* —1F **35**
Dormer St. *Bolt* —6D **12**
Dorning St. *Blac* —4B **18**
Dorning St. *Kear* —5B **32**
Dorning St. *Tyl* —6F **37**
Dorset Av. *Farn* —5G **31**
Dorset Av. *Tyl* —4F **37**
Dorset Clo. *Farn* —5G **31**
Dorset Rd. *Ath* —3C **36**
Dorset Rd. *Stand* —2A **16**
Dorset St. *Bolt* —4E **23**
Dorset St. *Hind* —1A **34**
Dorset St. *Pen* —5H **41**
Dorstone Clo. *Hind* —2D **34**
Dougill St. *Bolt* —2H **21**
Douglas Av. *Hor* —4E **9**
Douglas Clo. *Hor* —5E **9**
Douglas Pk. *Ath* —4E **37**
Douglas St. *Ath* —4E **37**
Douglas St. *Bolt* —4C **12**
Dove Bank Rd. *L Lev* —1B **32**
Dovecote Clo. *Brom X* —1F **13**
Dovecote La. *L Hul* —4C **38**
Dovedale Rd. *Bolt* —2B **24**
Dover Clo. *BL8* —6H **5**
Dover Gro. *Bolt* —5B **22**
Dove Rd. *Bolt* —1H **29**
Dover St. *Farn* —3G **31**
Dove St. *Ram* —5C **12**
Dove Wlk. *Farn* —5D **30**
Dow Fold. *Bury* —6H **15**
Dow La. *Bury* —6H **15**
Down Grn. Rd. *Bolt* —6A **14**
Downhall Grn. *Bolt* —3D **22**
Downham Rd. *Bolt* —3G **23**
Downton Av. *Hind* —3A **34**
Dowson St. *Bolt* —4E **23**
Doyle Rd. *Bolt* —2E **29**
Drake Av. *Farn* —6H **31**
Drake Hall. *W'houg* —2F **35**
Drake St. *Ath* —5C **36**
Draycott Clo. *Hind* —4B **34**
Draycott St. *Bolt* —1C **22**
Draycott St. E. *Bolt* —1D **22**
Drayton Clo. *Bolt* —1B **23**
Drinkwater La. *Hor* —6D **8**
Droxford Gro. *Ath* —2E **37**

Druids Clo. *Eger* —4B **2**
Drummond St. *Bolt* —5C **12**
Dryad Clo. *Pen* —5H **41**
Dryburgh Av. *Bolt* —5B **12**
Dryfield La. *Hor* —4C **8**
Duchess Wlk. *Bolt* —1H **29**
Duchy Av. *Bolt* —5G **29**
Duchy Av. *Wor* —6H **39**
Ducie Av. *Bolt* —4A **22**
Ducie St. *Rad* —6H **29**
Duckshaw La. *Farn* —5G **31**
Duckworth St. *Bolt* —1A **30**
Duddon Av. *Bolt* —2B **24**
Dudley Av. *Bolt* —2G **23**
Dudley Rd. *Pen* —6H **41**
Dudwell Clo. *Bolt* —2A **22**
Duerden St. *Bolt* —3G **29**
Dukes All. Ram —4D **22**
(off Ridgeway Gdns.)
Duke's Av. *L Lev* —1C **32**
Duke's Row. *Asp* —6F **17**
Duke St. *Ain* —2E **25**
Duke St. *Bolt* —3C **22**
(in two parts)
Duke St. *L Hul* —2E **39**
Duke St. *Wor* —5C **40**
Duke St. N. *Ram* —3C **22**
Dumbell St. *Pen* —5H **41**
Dunbar Dri. *Bolt* —2C **30**
Dunblane Av. *Bolt* —6E **21**
Duncan St. *Hor* —6E **9**
Duncan St. *Ram* —3D **22**
Dunchurch Clo. *Los* —5D **20**
Duncombe Rd. *Bolt* —2C **30**
Dunedin Rd. *G'mnt* —5H **5**
Dunham Clo. *W'houg* —2F **35**
Dunlin Clo. *Bolt* —6E **23**
Dunoon Dri. *Bolt* —4A **12**
Dunoon Rd. *Asp* —6H **17**
Dunscar Fold. *Eger* —1C **12**
Dunscar Ind. Est. *Eger* —2C **12**
Dunscar Sq. *Eger* —1C **12**
Dunsop Dri. *Bolt* —6F **11**
Dunstan St. *Bolt* —4G **23**
Durban Rd. *Ram* —4C **12**
Durban St. *Ath* —5A **36**
Durham Clo. *Clif* —5H **9**
Durham Clo. *L Lev* —1D **32**
Durham Clo. *Tyl* —6G **37**
Durham Rd. *Hind* —2A **34**
Durham St. *Bolt* —1D **22**
Duty St. *Ram* —6C **12**
Duxbury Av. *Bolt* —4A **14**
Duxbury Av. *L Lev* —6C **24**
Duxbury St. *Bolt* —1B **22**
Dymchurch Av. *Rad* —6E **33**
Dyson Clo. *Farn* —5H **31**
Dyson St. *Farn* —6H **31**

Eagle St. *Bolt* —4E **23**
Eagley Bank. *Bolt* —2D **12**
Eagley Brow. *Ram* —3D **12**
Eagley Ct. *Brom X* —2E **13**
Eagley Way. *Bolt* —2D **12**
Eames Av. *Rad* —5C **32**
Earlesden Cres. *L Hul* —1E **39**
Earl St. *Ath* —5B **36**
Earl St. *Bolt* —6E **23**
Earlswood Wlk. *Bolt* —1D **30**
Earnshaw St. *Bolt* —2H **29**
Easedale Rd. *Bolt* —3G **21**
E. Bank Rd. *Ram* —4H **5**
(in two parts)
Eastbank St. *Bolt* —1D **22**
Eastbourne Gro. *Bolt* —3G **21**
Eastchurch Clo. *Farn* —6H **31**
Eastcote Wlk. *Farn* —4A **32**
Eastfields. *Rad* —6H **25**
Eastgrove Av. *Bolt* —3C **12**
Eastham Way. *L Hul* —2F **39**
E. Lancashire Rd. *Wor* —6B **40**
Eastleigh Gro. *Bolt* —3C **22**
E. Lynn Dri. *Wor* —4C **40**
East Meade. *Bolt* —3C **30**
Eastmoor Gro. *Bolt* —3H **29**
East St. *Ath* —6F **37**
East St. *Hind* —4D **34**
East Wlk. *Eger* —5B **2**

East Way. *Bolt* —6F **13**
Eastwood Av. *Wor* —4E **39**
Eastwood Clo. *Bolt* —2G **29**
Eastwood Ter. *Bolt* —3F **21**
Eatock Way. *W'houg* —1F **35**
Eaton Clo. *Pen* —5H **41**
Eaton St. *Hind* —1A **34**
Ebury St. *Rad* —1H **33**
Eccleston Av. *Bolt* —2F **23**
Eccleston Clo. *Bury* —2H **25**
Eckersley Av. *Hind* —4A **34**
Eckersley Fold La. *Ath* —6B **36**
Eckersley Rd. *Bolt* —6C **12**
Eckersley St. *Bolt* —1A **30**
Edale Clo. *Ath* —4C **36**
Edale Rd. *Bolt* —1G **29**
Edale Rd. *Farn* —6G **31**
Edditch Gro. *Bolt* —4G **23**
Eden Av. *Bolt* —6C **12**
Eden Gro. *Bolt* —6B **12**
Edenhall Gro. *Hind* —4B **34**
Eden Lodge. *Bolt* —6C **12**
Eden St. *Bolt* —5C **12**
Edgar St. *Bolt* —5C **22**
Edge Fold Cres. *Wor* —6H **39**
Edge Fold Ind. Est. *W'houg* —4A **30**
Edge Fold Rd. *Wor* —6H **39**
Edge Hill Rd. *Bolt* —2H **29**
Edge La. *Bolt* —4C **16**
Edgemoor Clo. *Rad* —6G **25**
Edgeworth Av. *Bolt* —2F **25**
Edgeworth Rd. *Hind* —4C **34**
Edgmont Av. *Bolt* —1B **30**
Edinburgh Dri. *Hind* —4D **34**
Edinburgh Rd. *L Lev* —3C **32**
Edinburgh Wlk. *Asp* —6H **17**
Edith St. *Bolt* —5A **22**
Edith St. *Farn* —6H **31**
Edmund St. *Bolt* —3D **22**
Edward St. *Bolt* —6B **22**
Edward St. *Farn* —3F **31**
Edward St. *Hor* —6C **8**
Edward St. *Rad* —5D **32**
Edward St. *W'houg* —5G **27**
Egerton Barn Cottage. *Eger* —5C **2**
Egerton Ct. *Hind* —2A **34**
Egerton Gro. *Wor* —4H **39**
Egerton Rd. *Wor* —4H **39**
Egerton St. *Farn* —4G **31**
Egerton Vale. *Eger* —5B **2**
Egerton Wlk. *Wor* —4H **39**
Egham Ct. *Bolt* —2F **23**
Egham Ho. *Bolt* —3H **29**
Egyptian St. *Bolt* —2D **22**
Eldercot Gro. *Bolt* —1G **29**
Eldercot Rd. *Bolt* —1G **29**
Eldon St. *Bolt* —2F **23**
Eleanor St. *Bolt* —4E **13**
Elgin St. *Bolt* —1A **22**
Elgol Dri. *Bolt* —5E **21**
Elham Clo. *Rad* —6E **33**
Elizabethan Ct. Tyl —6F **37**
(off Market St.)
Elizabeth Av. *Bick* —6A **34**
Elizabeth St. *Ath* —4D **36**
(in two parts)
Elizabeth St. *Pen* —6H **41**
Elkstone Av. *L Hul* —1E **39**
Ellen Gro. *Kear* —2E **41**
Ellen St. *Bolt* —6A **12**
(in two parts)
Elleray Clo. *L Lev* —2E **33**
Ellerbeck Clo. *Bolt* —4G **13**
Ellerbrook Clo. *Bolt* —4F **13**
Ellerbrook Clo. *Hth C* —1D **6**
Ellerby Av. *Clif* —4H **41**
Ellesmere Av. *Wor* —4G **39**
Ellesmere Clo. *L Hul* —4F **39**
Ellesmere Gdns. *Bolt* —2B **30**
Ellesmere Rd. *Bolt* —2A **30**
Ellesmere Shopping Cen. *Wor* —4H **39**
Ellesmere St. *Bolt* —5B **22**
Ellesmere St. *Farn* —5H **31**
Ellesmere St. *L Hul* —4F **39**
Ellesmere St. *Tyl* —5H **37**
(in three parts)
Ellesmere Wlk. *Farn* —5H **31**
Elliot Dri. *Hind* —6A **26**

Elliot St. *Tyl* —6E **37**
(in two parts)
Elliott St. *Bolt* —6A **12**
Elliott St. *Farn* —6G **31**
Ellis Cres. *Wor* —4F **39**
Ellis St. *Bolt* —6B **22**
Elm Av. *Rad* —5H **33**
Elmbridge Wlk. *Bolt* —6B **22**
Elmfield Av. *Ath* —3B **36**
Elmfield Rd. *Wig* —6A **16**
Elmfield St. *Bolt* —6D **12**
(in three parts)
Elm Gro. *Brom X* —1E **13**
Elm Gro. *Farn* —5F **31**
Elm Gro. *Hor* —2G **19**
Elm Gro. *Wdly* —5D **40**
Elm Rd. *Kear* —2B **40**
Elm Rd. *L Lev* —3D **32**
Elm Rd. *W'houg* —6G **27**
Elmstone Gro. *Bolt* —2D **22**
Elm St. *Farn* —4H **31**
Elm St. *Swint* —6A **41**
Elm St. *Tyl* —6G **37**
Elmwood Clo. *Bolt* —1G **37**
Elmwood Gro. *Bolt* —3A **22**
Elmwood Gro. *Farn* —1G **39**
Elockton Ct. *Hor* —5D **8**
Elsdon Dri. *Ath* —3E **37**
Elsdon Gdns. *Bolt* —2F **23**
Elsfield Clo. *Bolt* —1B **22**
Elsham Dri. *Wor* —4F **39**
Elsie St. *Farn* —5G **31**
Elsinore St. *Bolt* —6F **13**
Elswick Av. *Bolt* —6H **21**
Elsworth Dri. *Bolt* —5D **12**
Elton Av. *Farn* —5D **30**
Elton St. *Bolt* —4E **23**
Ely Clo. *Wor* —6F **39**
Ely Gro. *Bolt* —2C **22**
Embankment Rd. *Tur* —2G **3**
Emblem St. *Bolt* —6B **22**
Emerald St. *Bolt* —4F **23**
Emlyn St. *Farn* —4G **31**
Emlyn St. *Wor* —4H **39**
Emmanuel Clo. Bolt —6B **22**
(off Emmanuel Pl.)
Emmanuel Pl. *Bolt* —6B **22**
Emmerson St. *Pen* —6H **41**
Emmett St. *Hor* —6D **8**
Empire Rd. *Bolt* —3H **23**
Empress St. *Bolt* —2H **21**
Emsworth Clo. *Bolt* —2F **23**
Ena St. *Bolt* —2E **31**
Endon St. *Bolt* —2H **21**
Endsley Av. *Wor* —6G **39**
Enfield Clo. *Bolt* —2C **22**
Enfield St. *Wor* —2H **39**
Engine Fold Rd. *Wor* —4E **39**
Engine La. *Tyl* —3G **37**
Engledene. *Bolt* —3B **12**
Ennerdale Av. *Bolt* —2B **24**
Ennerdale Clo. *L Lev* —2B **32**
Ennerdale Gdns. *Bolt* —2A **24**
Ennerdale Gro. *Farn* —5C **30**
Ennerdale Rd. *Hind* —2A **34**
Enstone Way. *Wor* —6A **38**
Entwisle Row. *Farn* —5H **31**
Entwisle St. *Farn* —4H **31**
Entwistle St. *Bolt* —3F **23**
Entwistle St. *Wdly* —6F **41**
Ephraim's Fold. *Asp* —5H **17**
Epsom Croft. *And* —2F **7**
Epworth Gro. *Bolt* —2A **30**
(in two parts)
Era St. *Bolt* —4A **24**
Erman's Bldgs. *Swint* —5H **41**
Ernest St. *Bolt* —5B **22**
(in two parts)
Ernlouen Av. *Bolt* —3G **21**
Errington Clo. *Bolt* —6F **21**
Erskine Clo. *Bolt* —6E **21**
Eskdale Av. *Blac* —4A **18**
Eskdale Av. *Bolt* —1B **24**
Eskdale Gro. *Farn* —5D **30**
Eskdale Rd. *Hind* —2A **34**
Eskrick St. *Bolt* —2B **22**
Essex Pl. *Clif* —5H **41**
Essex Pl. *Tyl* —4F **37**
Essex Rd. *Stand* —2A **16**

Essex St. *Hor* —2F **19**
Essingdon St. *Bolt* —1B **30**
(in two parts)
Ethel St. *Bolt* —5B **22**
Europa Trad. Est. *Rad* —6D **32**
Europa Way. *Rad* —6C **32**
Eustace St. *Bolt* —2E **31**
Euxton Clo. *Bury* —2H **25**
Evans St. *Hor* —5E **9**
Evanstone Clo. *Hor* —6D **8**
Everard Clo. *Wor* —6G **39**
Everbrom Rd. *Bolt* —3G **29**
Everest Rd. *Ath* —1C **36**
Everitt St. *Bolt* —1C **22**
Everleigh Clo. *Bolt* —4A **14**
Evesham Clo. *Bolt* —5B **22**
Evesham Dri. *Farn* —3F **31**
Evesham Wlk. *Bolt* —6B **22**
Ewart St. *Bolt* —1C **22**
Exchange St. *Bolt* —4D **22**
Exeter Av. *Bolt* —1F **23**
Exeter Av. *Farn* —4D **30**
Exeter Av. *Rad* —6F **25**
Exeter Dri. *Asp* —6H **17**
Exeter Rd. *Hind* —2A **34**
Exford Dri. *Bolt* —5C **24**
Exhall Clo. *L Hul* —1E **39**
Express Trad. Est. *Farn* —1A **40**

Factory Brow. *Blac* —6H **7**
Factory Hill. *Hor* —5F **9**
Factory La. *Hth C* —1F **7**
Factory St. *Tyl* —6F **37**
Factory St. E. *Ath* —4C **36**
Factory St. W. *Ath* —4C **36**
Fairacres. *Bolt* —6A **14**
Fairbairn St. *Hor* —6D **8**
Fairclough St. *Bolt* —1D **30**
Fairfield Rd. *Farn* —6G **31**
Fairfields. *Eger* —1D **12**
Fairford Dri. *Bolt* —6C **22**
Fairhaven Av. *W'houg* —5B **28**
Fairhaven Rd. *Bolt* —6D **12**
Fairhurst Dri. *Wor* —5D **38**
Fairland Pl. *Bolt* —6F **21**
Fairlie Av. *Bolt* —6F **21**
Fairlyn Clo. *Bolt* —6G **29**
Fairlyn Dri. *Bolt* —6G **29**
Fairmount Av. *Bolt* —3A **24**
Fairoak Ct. *Bolt* —6B **22**
Fair St. *Bolt* —3A **30**
Fair St. *Pen* —6H **41**
Fairway Av. *Bolt* —6F **21**
Fairway. *Hor* —6E **9**
Fairways, The. *W'houg* —5G **27**
Faith St. *Bolt* —2G **21**
Falcon Dri. *L Hul* —2E **39**
Falcon St. *Bolt* —5B **22**
Falkirk Dri. *Bolt* —6A **24**
Falkland Rd. *Bolt* —4C **24**
Fall Birch Rd. *Los* —3H **19**
Fallons Rd. *Wor* —6E **41**
Fallow Clo. *W'houg* —3G **27**
Faraday Dri. *Bolt* —2C **22**
Faraday Ho. Bolt —2C **22**
(off Faraday Dri.)
Far Hey Clo. *Rad* —2G **33**
Faringdon Wlk. *Bolt* —6C **22**
Farland Pl. *Bolt* —6F **21**
Farman St. *Bolt* —2B **30**
Farm Av. *Adl* —1E **7**
Farm Clo. *Tot* —3H **15**
Farnborough Rd. *Bolt* —3C **12**
Farndale Sq. *Wor* —4G **39**
Farnham Clo. *Bolt* —2C **22**
Farnworth & Kearsley By-Pass. *Farn* —3H **31**
Farnworth St. *Bolt* —1A **30**
Farringdon Dri. *Rad* —6G **25**
Faulkner St. *Bolt* —2C **22**
Fawcetts Fold. *W'houg* —1G **27**
Fawcett St. *Bolt* —4F **23**
Fearney Side. *L Lev* —2B **32**
Fearnhead Av. *Hor* —4D **8**
Fearnhead Clo. *Farn* —5A **32**
Fearnhead St. *Bolt* —1A **30**

Grantchester Way. *Bolt* —2A **24**
Grantham Clo. *Bolt* —2C **22**
Grant St. *Farn* —3F **31**
Granville Rd. *Bolt* —2A **30**
Granville St. *Adl* —2E **7**
Granville St. *Farn* —3H **31**
Granville St. *Hind* —2A **34**
Granville St. *Wor* —4G **39**
Grasmere Av. *Farn* —6D **30**
Grasmere Av. *L Lev* —1C **32**
Grasmere Av. *Wdly* —5E **41**
Grasmere St. *Bolt* —1D **22**
Grasscroft Rd. *Hind* —3C **34**
Grassington Ct. *Wals* —5H **15**
Grassington Pl. *Bolt* —2E **23**
Grathome Wlk. *Bolt* —1C **30**
Gratten Ct. *Wor* —3G **39**
Graves St. *Rad* —5H **25**
Gray Ho. Bolt —3C **22**
(off Gray St.)
Graymar Rd. *L Hul* —3E **39**
Grayson Rd. *L Hul* —3F **39**
Gray St. *Bolt* —3C **22**
Gray St. N. *Bolt* —3D **22**
Graythwaite Rd. *Bolt* —1F **21**
Gt. Bank Rd. *Wing I* —2F **27**
Gt. Holme. *Bolt* —1D **30**
Gt. Marld Clo. *Bolt* —1F **21**
Gt. Moor St. *Bolt* —5D **22**
Gt. Stone Clo. *Rad* —5C **2**
Greatstone Clo. *Rad* —2F **33**
Greaves Av. *Bolt* —5C **14**
Grecian Cres. *Bolt* —1D **30**
Green Acre. *W'houg* —6H **27**
Greenacres. *Tur* —1A **4**
Green Av. *Bolt* —2F **31**
Green Av. *L Hul* —2C **38**
Green Bank. *Bolt* —6A **14**
Green Bank. *Farn* —4G **31**
Greenbank. *Hind* —4C **34**
Greenbank. *Hor* —2F **19**
Greenbank Ct. Tyl —6G **37**
(off Green St.)
Greenbank Rd. *Bolt* —6H **21**
(in two parts)
Green Bank Rd. *Rad* —6H **25**
Green Barn. *Blac* —2A **18**
Greenbarn Way. *Blac* —1H **17**
Greenburn Dri. *Farn* —1A **24**
Green Clo. *Ath* —6E **37**
Green Comn. La. *W'houg* —1B **36**
Greencourt Dri. *L Hul* —3D **38**
Greendale. *Ath* —3E **37**
Green Dri. *Los* —4C **20**
Greenfield Clo. *W'houg* —4A **28**
Greenfield Rd. *Adl* —1E **7**
Greenfield Rd. *Ath* —2E **37**
Greenfield Rd. *L Hul* —3F **39**
Greenfields Clo. *Hind* —1B **34**
Greenfold Av. *Farn* —6F **31**
Green Fold La. *W'houg* —6G **27**
Greengate La. *Bolt* —3B **24**
Greenhalgh La. *And* —1F **7**
Green Hall Clo. *Ath* —2F **37**
Greenhead Wlk. *Bolt* —1C **30**
Greenheys. *Bolt* —6A **14**
Greenheys Cres. *G'mnt* —6H **5**
Greenheys Rd. *L Hul* —1C **38**
Greenhill Av. *Bolt* —6H **21**
Greenhill Av. *Farn* —6G **31**
Greenhill La. *Bolt* —1F **29**
Greenhill Rd. *Bury* —2H **25**
Greenland La. *Grim V & Hor* —4H **7**
Greenland Rd. *Bolt & Farn* —2D **30**
Green La. *Bolt* —2D **30**
Green La. *Hind* —2A **34**
Green La. *Hor* —4D **8**
Green La. *Kear* —6C **32**
Greenleas. *Los* —5C **20**
Green Meadows. *W'houg* —5F **27**
Greenmount Clo. *G'mnt* —5H **5**
Greenmount Ct. —3G **21**
Green Mt. St. *G'mnt* —5H **5**
Greenmount Ho. *Bolt* —4G **21**
Greenmount Pk. *Kear* —6C **32**
Greenoak. *Rad* —6E **33**
Greenoak Dri. *Wor* —2G **39**
Greenock Clo. *Bolt* —6E **21**

Greenough St. *Ath* —6A **36**
Green Pk. Clo. *G'mnt* —6H **5**
Greenpine Ind. Pk. *Hor* —4F **19**
Green Pine Rd. *Hor* —4F **19**
Greenroyd Av. *Bolt* —1A **24**
Greens Arms Rd. *Tur* —1C **2**
Greenside. *Bolt* —2E **25**
Greenside. *Farn* —4G **31**
Greenside Av. *Kear* —1B **40**
Greenside Clo. *Hawk* —4D **4**
Greenside Dri. *G'mnt* —6H **5**
Greensmith Way. *W'houg* —3G **27**
Greenstone Av. *Hor* —6C **8**
Green St. *And* —1F **7**
Green St. *Ath* —5E **37**
(Atherton)
Green St. *Ath* —6G **37**
(Tyldesley)
Green St. *Bolt* —4D **22**
Green St. *Farn* —4G **31**
Green St. *Rad* —2H **33**
(in two parts)
Green St. *Tot* —5H **15**
Green St. *Tyl* —6G **37**
Green, The. *G'mnt* —6H **5**
Greenthorne Clo. *Tur* —1A **4**
Green Wlk. *Blac* —2H **17**
Green Way. *Bolt* —6E **13**
Greenway. *Hor* —6H **9**
Greenway Clo. *Bolt* —5E **13**
Greenwood Av. *Hor* —2F **19**
Greenwood Av. *Wor* —3G **39**
Greenwood La. *Wor* —2G **19**
Greenwoods La. *Bolt* —5B **14**
Greenwood St. *Farn* —5H **31**
Greenwood Vale. *Bolt* —6C **12**
Gregory Av. *Ath* —2C **36**
Gregory Av. *Bolt* —3A **24**
Gregory St. *W'houg* —6C **26**
Gregson Field. *Bolt* —1C **30**
(in two parts)
Grenaby Av. *Wig* —2C **34**
Grendon St. *Bolt* —2A **30**
Gresham St. *Bolt* —6D **12**
Gresley Av. *Hor* —6E **9**
Gretna Rd. *Ath* —6A **36**
Greystoke Dri. *Bolt* —3B **12**
Greystone Av. *Asp* —6G **17**
Grierson St. *Bolt* —6C **12**
Grimeford La. *Blac & And* —5F **7**
Grindrod St. *Rad* —1H **33**
(in two parts)
Grindsbrook Rd. *Rad* —4H **25**
Grisdale Rd. *Bolt* —6A **22**
Grizedale Clo. *Bolt* —1F **21**
Grosvenor Clo. *Wor* —2G **39**
Grosvenor Dri. *Wor* —2G **39**
Grosvenor Rd. *Wor* —2G **39**
Grosvenor St. *Bolt* —5E **23**
Grosvenor St. *Hind* —2A **34**
Grosvenor St. *Kear* —5A **32**
Grosvenor St. *L Lev* —1C **32**
Grosvenor St. *Pen* —5H **41**
Grosvenor St. *Rad* —1H **33**
Grosvenor Way. *Hor* —6E **9**
Grove Av. *Adl* —2E **7**
Grove Cres. *Adl* —2E **7**
Grove M. *Wor* —4H **39**
Grove St. *Bolt* —1B **22**
Grove St. *Kear* —5A **32**
Grove, The. *Bolt* —6F **23**
Grove, The. *L Lev* —2D **32**
Grove, The. *W'houg* —5G **27**
Grundy Rd. *Kear* —6A **32**
Grundy St. *W'houg* —4G **27**
Grundy St. *Wor* —4B **40**
Guido St. *Bolt* —1B **22**
Guild Av. *Wor* —5H **39**
Guildford Rd. *Bolt* —1H **21**
Guild St. *Brom X* —2E **13**
Gunters Av. *W'houg* —1H **35**

Hacken Bri. Rd. *Bolt* —1G **31**
Hacken La. *Bolt* —1G **31**
Hackford Clo. *Bolt* —3A **22**
Hackney Clo. *Rad* —6H **25**
Hadleigh Clo. *Bolt* —3E **13**
Hadwin St. *Bolt* —2D **22**

Hag End Brow. *Bolt* —6G **23**
HAG FOLD STATION. *BR* —2C **36**
Haigh Rd. *Haig* —4F **17**
Haigh St. *Bolt* —3D **22**
Halbury Wlk. *Bolt* —1D **22**
(off Ulleswater St.)
Halesfield. *Hind* —5D **34**
Half Acre. *Rad* —5G **25**
Half Acre La. *Blac* —1G **17**
(in two parts)
Haliwell St. *Bolt* —1B **22**
Hall Coppice, The. *Eger* —6B **2**
Hall Ga. *W'houg* —2G **35**
Hallington Clo. *Bolt* —1C **30**
Hall i' th' Wood. *Bolt* —5E **13**
Hall i' th' Wood La. *Bolt* —6F **13**
HALL I' TH' WOOD STATION. *BR*
—6F **13**
Halliwell Ind. Est. Bolt —6B **12**
(off Rossini St.)
Halliwell Rd. *Bolt* —6A **12**
(in two parts)
Hall La. *Hind* —3A **26**
Hall La. *Hor* —4G **19**
Hall La. Gro. *Hind* —5A **26**
Hall Lee Dri. *W'houg* —4A **28**
Hallstead Av. *L Hul* —3C **38**
Hallstead Gro. *L Hul* —3C **38**
Hall St. *Bolt* —3H **31**
(in two parts)
Hall St. *Pen* —5H **41**
Hall St. *Rad* —5H **25**
Hall St. *Wals* —5H **15**
Halsall Dri. *Bolt* —3C **30**
Halshaw La. *Kear* —6B **32**
Halstead St. *Bolt* —4E **23**
Halton St. *Bolt* —4F **23**
Hambledon Clo. *Ath* —2E **37**
Hambledon Clo. *Bolt* —6F **21**
Hambleton Clo. *Bury* —2H **25**
Hamel St. *Bolt* —2F **31**
Hamilton Ct. *L Lev* —2D **32**
Hamilton Rd. *Hind* —3B **34**
Hamilton St. *Ath* —5B **36**
Hamilton St. *Bolt* —4C **12**
Hamilton St. *Swint* —6F **41**
Hamlet, The. *Los* —3B **20**
Hamnet Clo. *Bolt* —4E **13**
Hampson Fold. *Rad* —1H **33**
Hampson St. *Ath* —4C **36**
Hampson St. *Hor* —5D **8**
Hampson St. *Pen* —6H **41**
Hampton Rd. *Bolt* —2E **31**
Hanborough Ct. *Tyl* —6E **37**
Handel St. *Bolt* —3H **21**
Hanover Ct. Bolt —6H **21**
(off Greenbank Rd.)
Hanover Ho. *Bolt* —2H **29**
Hanover St. *Bolt* —4C **22**
Hanson St. *Adl* —3D **6**
Harbern Dri. *Leigh* —5F **35**
Harborne Wlk. *G'mnt* —6H **5**
Harbour La. *Tur* —2H **3**
Harbour M. Ct. *Brom X* —1F **13**
Harbourne Av. *Wor* —6G **39**
Harcourt Ind. Cen. *Wor* —2H **39**
Harcourt M. *Hor* —5D **8**
Harcourt St. *Farn* —3H **31**
Harcourt St. *Wor* —2H **39**
Harcourt St. S. *Wor* —2H **39**
Hardcastle St. *Bolt* —1D **22**
Harden Dri. *Bolt* —1H **23**
Hardie Av. *Farn* —6F **31**
Harding St. *Adl* —2F **7**
Hardman Clo. *Rad* —5H **25**
Hardmans. *Brom X* —2D **12**
Hardman's La. *Brom X* —2D **12**
Hardman St. *Farn* —6A **32**
(in two parts)
Hardman St. *Rad* —5H **25**
Hardwick Clo. *Rad* —6D **24**
Hardy Clo. *W'houg* —2G **27**
Hardy Mill Rd. *Bolt* —5B **14**
Harebell Av. *Wor* —4D **38**
Harewood Way. *Clif* —5H **41**
Hargreaves Ho. *Bolt* —5C **22**
Hargreaves St. *Bolt* —1C **22**
Harlea Av. *Hind* —4C **34**

Harlech Av. *Hind* —3C **34**
Harlesden Cres. *Bolt* —6A **22**
Harley Av. *Ain* —2F **25**
Harley Rd. *Harw* —6A **14**
Haroldene St. *Bolt* —1F **23**
Harold St. *Asp* —6H **17**
Harold St. *Bolt* —1B **22**
Harper Fold Rd. *Farn* —2F **33**
Harper's La. *Bolt* —1H **21**
Harper St. *Farn* —3F **31**
Harpford Clo. *Bolt* —6C **24**
Harpford Dri. *Bolt* —6C **24**
Harriet St. *Bolt* —3H **29**
Harriet St. *Wor* —4H **39**
Harrison Cres. *Blac* —6F **7**
Harrison Rd. *Adl* —3D **6**
Harrison St. *Hind* —4D **34**
Harrison St. *Hor* —5D **8**
Harrison St. *L Hul* —3E **39**
Harris St. *Bolt* —5C **22**
Harrogate Sq. *Bury* —2H **25**
Harrop St. *Bolt* —1G **29**
Harrop St. *Wor* —4F **39**
Harrowby Ct. *Farn* —5F **31**
Harrowby Fold. *Farn* —5G **31**
Harrowby La. *Farn* —5G **31**
Harrowby Rd. *Bolt* —1F **21**
(Doffcocker)
Harrowby Rd. *Bolt* —2G **13**
(Fernhill Gate)
Harrowby St. *Farn* —5F **31**
Harrow Rd. *Bolt* —3H **21**
Hartfield Wlk. *Bolt* —3G **23**
Hartington Rd. *Bolt* —4A **22**
Hartland Ct. Bolt —6C **12**
(off Blackburn Rd.)
Hartley St. *Hor* —1D **18**
Hart St. *Tyl* —6A **38**
Hart St. *W'houg* —6D **26**
Hartwell Clo. *Bolt* —6G **13**
Harvey St. *Bolt* —6B **12**
Harwood Cres. *Tot* —2G **15**
Harwood Dri. *Bury* —2H **25**
Harwood Gro. *Bolt* —2F **23**
Harwood Meadow. *Bolt* —6B **14**
Harwood Rd. *Tot* —5E **15**
Harwood St. *Bolt* —3D **22**
Harwood Vale. *Bolt* —6A **14**
Harwood Vale Ct. *Bolt* —6A **14**
Harwood Wlk. *Tot* —2G **15**
Haseley Clo. *Bolt* —6D **24**
Hasguard Clo. *Bolt* —3F **21**
Haskoll St. *Hor* —2F **19**
Haslam Ct. *Bolt* —6H **21**
Haslam Hey Clo. *Bury* —1G **25**
Haslam St. *Bolt* —6B **22**
Hastings Rd. *Bolt* —3H **21**
Hatfield Rd. *Bolt* —2A **22**
Hatford Clo. *Tyl* —6A **38**
Hathaway Dri. *Bolt* —4E **13**
Hatherleigh Wlk. *Bolt* —5B **24**
Hatton Av. *Ath* —2D **36**
Hatton Gro. *Bolt* —4E **13**
Hatton St. *Adl* —3E **7**
Haven Clo. *Rad* —6F **25**
Haven, The. *L Lev* —2C **32**
Havercroft Pk. *Bolt* —3D **20**
Haverhill Gro. *Bolt* —1F **23**
Havisham Clo. *Los* —1B **28**
Hawarden St. *Bolt* —4C **12**
Hawes Av. *Farn* —5C **30**
Hawker Av. *Bolt* —2B **30**
Hawkesheath Clo. *Eger* —6D **2**
Hawkshaw La. *Hawk* —4D **4**
Hawkshaw St. *Hor* —6D **8**
Hawksley St. *Hor* —1F **19**
Hawkstone Clo. *Bolt* —6A **14**
Haworth St. *Tur* —2H **3**
Haworth St. *Wals* —5G **15**
Hawthorn Av. *Hind* —4C **34**
Hawthorn Av. *Stand* —5A **16**
Hawthorn Av. *Wor* —6A **40**
Hawthorn Bank. *Bolt* —5A **14**
Hawthorn Clo. *Tyl* —6B **38**
Hawthorn Cres. *Tot* —2H **15**
Hawthorne Av. *Farn* —4E **31**
Hawthorne Av. *Hor* —2G **19**

Hawthorne Rd. *Bolt* —6H **21**
Hawthorne St. *Bolt* —6H **21**
Hawthorn Rd. *Kear* —2D **40**
Hawthorn Rd. *W'houg* —6H **27**
Hawthorns, The. *Ath* —4D **36**
  (off Water St.)
Haydn St. *Bolt* —1B **22**
Haydock La. *Brom X* —6E **3**
  (in two parts)
Haydock St. *Bolt* —3D **22**
Hayfield Clo. *G'mnt* —6H **5**
Haymill Av. *L Hul* —1E **39**
Haynes St. *Bolt* —2H **29**
Haysbrook Av. *Wor* —3D **38**
Hayward Av. *L Lev* —2E **33**
Hazel Av. *L Hul* —2C **38**
Hazel Av. *Rad* —5C **32**
Hazel Av. *Tot* —4H **15**
Hazel Av. *W'houg* —6H **27**
Hazeldene. *W'houg* —2F **35**
Hazel Gro. *Farn* —5F **31**
Hazel Gro. *Rad* —5A **33**
Hazelhurst Clo. *Bolt* —1C **22**
Hazelmere. *Kear* —6C **32**
Hazelmere Gdns. *Hind* —3A **34**
Hazel Mt. *Eger* —5C **2**
Hazel Rd. *Ath* —3C **36**
Hazelwood Av. *Bolt* —6A **14**
Hazelwood Rd. *Bolt* —1H **21**
Headingley Way. *Bolt* —2B **30**
Heaplands. *G'mnt* —6H **5**
Heap St. *Bolt* —6C **22**
Heapy Clo. *Bury* —2H **25**
Heath Clo. *Bolt* —3H **29**
Heather Bank. *Tot* —2G **15**
Heather Clo. *Hor* —5D **8**
Heatherfield. *Bolt* —4B **12**
Heatherfield. *Tur* —1A **4**
Heathfield. *Hth C* —1D **6**
Heathfield. *Farn* —4A **32**
Heathfield. *Harw* —5B **14**
Heathfield Dri. *Bolt* —3H **29**
Heathfield Dri. *Tyl* —6B **38**
Heath Gdns. *Hind* —4E **35**
Heathlea. *Hind* —5E **35**
Heathside Gro. *Wor* —4A **40**
Heaton Av. *Bolt* —2F **21**
Heaton Av. *Brad* —4A **14**
Heaton Av. *Farn* —5G **31**
Heaton Av. *L Lev* —1C **32**
Heaton Ct. *Bolt* —4F **21**
Heaton Ct. Gdns. *Bolt* —4E **21**
Heaton Grange Dri. *Bolt* —4G **21**
Heaton Rd. *Brad F* —6D **24**
Heaton Rd. *Los* —6C **20**
Heatons Gro. *W'houg* —3A **28**
Heaton St. *Asp* —6H **17**
Heaviley Gro. *Hor* —4C **8**
Hebble Clo. *Bolt* —4F **13**
Hebden Ct. *Bolt* —3C **22**
Hedley St. *Bolt* —1A **22**
Heights, The. *Hor* —2F **19**
Helen St. *Farn* —5H **31**
Helias Clo. *Wor* —4D **38**
Helmsdale. *Wor* —5G **39**
Helmsdale Av. *Bolt* —5F **21**
Helmsdale Clo. *Ram* —3H **5**
Helmshore Rd. *Holc* —1H **5**
Helsby Gdns. *Bolt* —5D **12**
Hemley Clo. *W'houg* —1G **35**
Hemsby Clo. *Bolt* —1G **29**
Hemsworth Rd. *Bolt* —3B **22**
Henderson Av. *Pen* —6H **41**
Hengist St. *Bolt* —4G **23**
Henley Gro. *Bolt* —2B **30**
Henley St. *Asp* —5F **17**
Hennicker St. *Wor* —6H **39**
Henniker Rd. *Bolt* —3G **29**
Hennon St. *Bolt* —2B **22**
Henrietta St. *Bolt* —1H **29**
Henry Herman St. *Bolt* —2G **29**
  (in two parts)
Henry Lee St. *Bolt* —2A **30**
Henry St. *Bolt* —5E **23**
Henry St. *Tyl* —6G **37**
Henshaw Wlk. *Bolt* —1C **22**
  (off Madeley Gdns.)
Herbert St. *Hor* —5C **8**

Herbert St. *L Lev* —2D **32**
Herbert St. *Rad* —6H **25**
Herbert St. *W'houg* —3G **27**
Hereford Cres. *L Lev* —1C **32**
Hereford Rd. *Bolt* —3H **21**
Hereford Rd. *Hind* —1B **34**
Hereford St. *Bolt* —1D **22**
Heron Av. *Farn* —5D **30**
Heron St. *Pen* —6H **41**
Heron's Way. *Bolt* —6E **23**
Hertford Dri. *Tyl* —4G **37**
Hesketh Av. *Bolt* —4D **12**
Hesketh St. *Ath* —3D **36**
Hesketh Wlk. *Farn* —5H **31**
Heswall Dri. *Wals* —4G **15**
Hewlett St. *Bolt* —4E **23**
Hewlett St. *W'houg* —6D **26**
Hexham Av. *Bolt* —2F **21**
Hexham Clo. *Ath* —3E **37**
Hey Head Cotts. *Bolt* —4D **14**
Heys Av. *Wdly* —5E **41**
Heys Clo. N. *Wdly* —5E **41**
Heywood Gdns. *Bolt* —1C **30**
Heywood Ho. *Ath* —4C **36**
Heywood Pk. View. *Bolt* —1C **30**
Heywood's Hollow. *Bolt* —6D **12**
Heywood St. *Bolt* —3D **22**
Heywood St. *L Lev* —2D **32**
Hibbert St. *Bolt* —1D **22**
Hibernia St. *Bolt* —6A **22**
High Av. *Bolt* —3A **24**
High Bank. *Ath* —1G **37**
High Bank. *Brom X* —2D **12**
High Bank La. *Los* —4B **20**
High Bank St. *Bolt* —4G **23**
High Beeches. *Brad F* —6D **24**
Highbridge Clo. *Bolt* —5C **24**
Highbrook Gro. *Bolt* —2D **22**
Highbury Clo. *W'houg* —1F **35**
Higher Ainsworth Rd. *Rad* —4G **25**
Higher Barn. *Hor* —6H **9**
Higher Bri. St. *Bolt* —2D **22**
Higher Darcy St. *Bolt* —6G **23**
Higher Dean St. *Rad* —2G **33**
Higher Drake Meadow. *W'houg*
  —2G **35**
Higher Dunscar. *Eger* —6C **2**
Higher Mkt. St. *Farn* —5A **32**
  (in two parts)
Higher Pit La. *Rad* —3G **25**
Higher Ridings. *Brom X* —1D **12**
  (in two parts)
Higher Shady La. *Brom X* —2F **13**
Higher Southfield. *W'houg* —6G **27**
Higher Swan La. *Bolt* —1B **30**
Highfield Av. *Ath* —2E **37**
Highfield Av. *Bolt* —6C **14**
Highfield Clo. *Adl* —2E **7**
Highfield Dri. *Farn* —5E **31**
Highfield Gro. *Asp* —6G **17**
Highfield Ho. *Farn* —5D **30**
Highfield Rd. *Adl* —1E **7**
Highfield Rd. *Blac* —2A **18**
Highfield Rd. *Bolt* —1H **21**
Highfield Rd. *Farn* —5C **30**
Highfield Rd. *Hind* —6A **26**
Highfield Rd. *L Hul* —2D **38**
Highfield Rd. Ind. Est. *L Hul*
  —1D **38**
Highfield Rd. N. *Adl* —1E **7**
Highfield St. *Kear* —1C **40**
Highgate. *Bolt* —3C **28**
Highgate Dri. *L Hul* —2C **38**
Highgate La. *L Hul* —2C **38**
Highgrove Clo. *Bolt* —5D **12**
Highgrove, The. *Bolt* —2D **20**
High Houses. *Bolt* —3B **12**
Highland Rd. *Brom X* —1F **13**
Highland Rd. *Hor* —2G **19**
High Meadow. *Brom X* —1F **13**
Highmeadow. *Rad* —4H **33**
High Mt. *Bolt* —6A **14**
High Rid La. *Los* —3A **20**
High Stile St. *Kear* —6A **32**
High St. Bury. *Bury* —6H **15**
High St. Atherton, *Ath* —4D **36**
High St. Bolton, *Bolt* —1B **30**
High St. Horwich, *Hor* —5D **8**
High St. Little Lever, *L Lev* —2D **32**

High St. Turton, *Tur* —3G **3**
High St. Tyldesley, *Tyl* —6F **37**
High St. Worsley, *Wor* —4G **39**
High View St. *Bolt* —1A **30**
  (Daubhill)
Highview St. *Bolt* —3C **12**
  (Sharples)
Highwood Clo. *Bolt* —2B **24**
Highworth Clo. *Bolt* —6C **22**
Higson St. *Bolt* —4E **23**
Hilary Av. *Ath* —2C **36**
Hilary Gro. *Farn* —6G **31**
Hilda Av. *Tot* —3H **15**
Hilden St. *Bolt* —5E **23**
Hillbank Clo. *Bolt* —6A **12**
Hill Cot Rd. *Bolt* —4D **12**
Hill Crest. *Ath* —2F **37**
Hillcrest Rd. *Ast* —6B **38**
Hillfield Dri. *Bolt* —2F **23**
Hillfield Wlk. *Bolt* —2F **23**
Hill La. *Blac* —6F **7**
Hill Rise. *Ram* —3H **5**
Hillsdale Gro. *Bolt* —6A **14**
Hill Side. *Bolt* —4F **21**
Hillside Av. *Ath* —3E **37**
Hillside Av. *Blac* —2A **18**
Hillside Av. *Brom X* —6F **3**
Hillside Av. *Farn* —6F **31**
Hillside Av. *Hor* —5E **9**
Hillside Av. *Wor* —3G **39**
Hillside Clo. *Bolt* —3D **28**
Hillside Clo. *Brad* —4A **14**
Hillside Ct. *Bolt* —4F **21**
Hillside Cres. *Hor* —5E **9**
Hillside St. *Bolt* —6B **22**
Hillstone Clo. *G'mnt* —5H **5**
Hill St. *Hind* —1A **34**
Hill St. *Rad* —1H **33**
Hill St. *Tot* —5H **15**
Hill Top. *Ath* —2F **37**
Hill Top. *Bolt* —6B **12**
Hilltop. *L Lev* —1C **32**
Hilltop Dri. *Tot* —3G **15**
Hill Top Fold. *Hind* —1A **34**
Hill Top Rd. *Wor* —3H **39**
Hillview Ct. *Bolt* —5C **12**
Hillview Rd. *Bolt* —5C **12**
Hilly Croft. *Brom X* —1D **12**
Hilmarton Clo. *Brad* —4A **14**
Hilton Av. *Hor* —6C **8**
Hilton Bank. *Wor* —4F **39**
Hilton Gro. *Wor* —4F **39**
Hilton La. *Wor* —4F **39**
Hilton Pl. *Asp* —5G **17**
Hilton St. *Bolt* —4G **23**
Hilton St. *L Hul* —3E **39**
Hinchcombe Clo. *L Hul* —1E **39**
Hindles Clo. *Ath* —5A **36**
Hindle St. *Rad* —2H **33**
Hindley Grn. Ind. Est. *Hind* —3E **35**
Hindley Mill La. *Hind* —6A **26**
Hindley Rd. *W'houg* —2E **35**
HINDLEY STATION. *BR* —6A **26**
Hindley St. *Farn* —5G **31**
Hindsford Clo. *Ath* —6F **37**
Hind St. *Bolt* —4G **23**
Hinkler Av. *Bolt* —2C **30**
Hirst Av. *Wor* —2G **39**
Hoade St. *Hind* —6A **26**
Hobart St. *Bolt* —1B **22**
Hodge Rd. *Wor* —5H **39**
Hodson Rd. *Swint* —5G **41**
Holbeach Clo. *Hind* —3A **34**
Holborn Av. *Rad* —1F **33**
Holbrook Av. *L Hul* —1E **39**
Holcombe Clo. *Kear* —1C **40**
Holcombe Ct. *Ram* —5H **5**
Holcombe Cres. *Kear* —1C **40**
Holcombe Lee. *Ram* —4H **5**
Holcombe Old Rd. *Holc* —2H **5**
Holcombe Precinct. *Ram* —4H **5**
Holcombe Rd. *L Lev* —2B **32**
Holcombe Rd. *Tot* —1G **15**
Holcombe Village. *Bury* —1H **5**
  (off Moor Rd.)
Holden Av. *Bolt* —3C **12**
Holden Lea. *W'houg* —2G **27**

Holden St. *Adl* —2D **6**
Holder Av. *L Lev* —6D **24**
Holding St. *Hind* —1A **34**
Holhouse La. *G'mnt* —5H **5**
Holland St. *Ath* —5D **36**
Holland St. *Bolt* —5D **12**
Hollies, The. *Ath* —4D **36**
Hollies, The. *Bolt* —3B **24**
Hollin Acre. *W'houg* —6H **27**
Hollin Hey Rd. *Bolt* —6E **11**
Hollinhurst Dri. *Los* —4C **20**
Hollins. *Farn* —5B **30**
Hollins Rd. *Hind* —2C **34**
Hollins St. *Bolt* —5F **23**
Hollinswood Rd. *Bolt* —5F **23**
Holloway Dri. *Wor* —6E **41**
Hollowell La. *Hor* —2F **19**
Hollow Meadows. *Rad* —1E **41**
Holly Av. *Wor* —5A **40**
Holly Bank Clo. *Los* —3B **20**
Holly Bank Ind. Est. *Rad* —2H **33**
Holly Bank St. *Rad* —2H **33**
Hollycroft Av. *Bolt* —6A **24**
Hollydene. *Asp* —6F **17**
Holly Dene Clo. *Los* —4B **20**
Holly Dene Dri. *Los* —4C **20**
Holly Gro. *Bolt* —2A **22**
Holly Gro. *Farn* —5E **31**
Holly Hill Cres. *Bolt* —5D **12**
Holly Mt. La. *G'mnt* —6F **5**
Holly Rd. *Asp* —6F **17**
Holly St. *Bolt* —5D **12**
Holly St. *Tot* —3H **15**
Hollywood Rd. *Bolt* —1H **21**
Holmbrook. *Tyl* —6A **38**
Holmes Cotts. *Bolt* —6A **12**
Holmes St. *Bolt* —1E **31**
Holmeswood Rd. *Bolt* —3B **30**
Holmfield Grn. *Bolt* —2F **29**
Holthouse Rd. *Tot* —4G **15**
Holt St. *Bolt* —6B **22**
Holt St. *Swint* —5H **41**
Holt St. *Tyl* —6G **37**
Holy Harbour St. *Bolt* —1A **22**
Holyhurst Wlk. *Bolt* —1C **22**
Holyoake Rd. *Wor* —5H **39**
Homer St. *Rad* —2G **33**
Hondwith Clo. *Bolt* —4G **13**
Honeybourne Clo. *Tyl* —6A **38**
Honeywood Clo. *Ram* —4H **5**
Honiton Clo. *Leigh* —5F **35**
Honiton Dri. *Bolt* —5C **24**
Honiton Gro. *Rad* —6F **25**
Hood Clo. *Tyl* —6B **38**
Hooton St. *Bolt* —2A **30**
Hope Av. *Brad* —5F **23**
Hope Av. *L Hul* —3G **39**
Hopefield St. *Bolt* —1B **30**
Hope Fold Av. *Ath* —5B **36**
Hopefold Dri. *Wor* —5A **40**
Hope Hey La. *L Hul* —2D **38**
Hope St. *Adl* —1F **7**
Hope St. *Asp* —2B **26**
Hope St. *Blac* —3A **18**
Hope St. *Bolt* —4A **14**
Hope St. *Farn* —5A **32**
Hope St. *Hind* —1B **34**
Hope St. *Hor* —5D **8**
Hope St. *L Hul* —3E **39**
Hope St. N. *Hor* —4D **8**
Hopwood Av. *Hor* —5E **9**
Horace St. *Bolt* —1B **22**
Horeb St. *Bolt* —6B **22**
Hornby Dri. *Bolt* —3D **28**
Hornsea Clo. *Bury* —1H **25**
Horridge Fold. *Eger* —4C **2**
Horridge Fold Av. *Bolt* —3F **29**
Horrobin La. *And & Hor* —1G **7**
Horrobin La. *Tur* —5G **3**
Horrocks Fold Av. *Bolt* —3B **12**
Horrocks Rd. *Tur* —1H **3**
Horrocks St. *Ath* —6E **37**
Horrocks St. *Bolt* —6G **21**
Horrocks St. *Tyl* —6F **37**
Horsa St. *Bolt* —2F **23**
Horseshoe La. *Brom X* —1E **13**
Horsfield St. *Bolt* —1G **29**
Horton Av. *Bolt* —3C **12**

Ladies La. *Hind* —1A **34**
Ladies' Wlk. *Ath* —5C **36**
Lady Bri. Brow. *Bolt* —4F **21**
Lady Bri. La. *Bolt* —4F **21**
Ladybridge Rd. *Wor* —6G **39**
Lady Harriet Wlk. *Wor* —4G **39**
Ladyshore Rd. *L Lev* —3E **33**
Ladywell Av. *L Hul* —3E **39**
Ladywell Gro. *L Hul* —2E **39**
Lakelands Dri. *Bolt* —6F **21**
Lakelands, The. *Blac* —2A **18**
Lakeside Av. *Bolt* —3E **31**
Lakeside Av. *Wor* —2H **39**
Lake St. *Bolt* —6D **22**
Lambeth Clo. *Hor* —6F **9**
Lambeth St. *Ath* —4B **36**
Lambourn Clo. *Bolt* —6C **22**
Lambton St. *Bolt* —3A **30**
Lamphey Clo. *Bolt* —3D **20**
Lancaster Av. *Ath* —5E **37**
Lancaster Av. *Farn* —4D **30**
Lancaster Av. *Hor* —1F **19**
Lancaster Av. *Tyl* —4G **37**
Lancaster Clo. *Adl* —2F **7**
Lancaster Clo. *Bolt* —4E **23**
Lancaster Dri. *L Lev* —1D **32**
Lancaster Pl. *Adl* —1E **7**
Lancaster St. *Rad* —2G **33**
Lancaster Ter. Bolt —1C 22
(off Boardman St.)
Lancaster Wlk. *Bolt* —1C **22**
Lancaster Way. *Wing I* —2F **27**
Lanchester Dri. *Bolt* —6B **22**
Landedmans. *W'houg* —6H **27**
Landmark Ct. Bolt —2G 21
(off Bk. Markland Hill La. E.)
Landsdowne Dri. *Wor* —6G **39**
Lane, The. *Bolt* —4D **20**
Langdale Dri. *Wor* —6B **40**
Langdale Rd. *Hind* —2A **34**
Langdale St. *Bolt* —2C **30**
Langdale St. *Farn* —6G **31**
Langdon Clo. *Bolt* —2B **22**
Langford Gdns. *Bolt* —1C **30**
Langham Clo. *Bolt* —3E **13**
Langholm Dri. *Bolt* —5B **24**
Langley Dri. *Bolt* —6A **22**
Langset Av. *Hind* —1A **34**
Langshaw Rd. *Bolt* —6A **22**
Langshaw Wlk. *Bolt* —6A **22**
Langside Dri. *Bolt* —1E **29**
Langstone Clo. *Hor* —6D **8**
Langthorne Wlk. *Bolt* —5B **22**
Langworthy Av. *L Hul* —2F **39**
Lansdale St. *Farn* —5A **32**
Lansdale St. *Wor* —2H **39**
Lansdowne Clo. *Bolt* —2F **23**
Lansdowne Rd. *Ath* —2F **37**
Lansdowne Rd. *Bolt* —1F **23**
Larch Gro. *Ath* —3C **36**
Larch Gro. *Wdly* —5D **40**
Larchwood St. *Bolt* —1D **22**
Larkfield Av. *L Hul* —2D **38**
Larkfield Av. *Wig* —6A **16**
Larkfield Clo. *G'mnt* —5H **5**
Larkfield Gro. *Bolt* —3F **23**
Larkfield Gro. *L Hul* —2D **38**
Larkfield M. *L Hul* —2D **38**
Lark Hill. *Farn* —6H **31**
Larkside Av. *Wor* —4A **40**
Lark St. *Bolt* —3D **22**
Lark St. *Farn* —6H **31**
Lark St. *Rad* —2F **33**
Latham Rd. *Blac* —6G **7**
Latham Row. *Hor* —6H **9**
Latham St. *Bolt* —1D **22**
Launceston Rd. *Hind* —4E **35**
Launceston Rd. *Rad* —6E **25**
Laurel Cres. *Hind* —4G **34**
Laurel Dri. *L Hul* —3E **39**
Laurel St. *Bolt* —4A **22**
Laurel St. *Tot* —3H **15**
Laurence Lowry Ct. *Pen* —6H **41**
Lauria Ter. *Ain* —2F **25**
Lavender Rd. *Farn* —4E **31**
Lavender St. *Rad* —2F **33**
Lawefield Cres. *Clif* —2F **41**

Lawn St. *Bolt* —2A **22**
Lawnswood Dri. *Tyl* —6B **38**
Lawson Av. *Hor* —4E **9**
Lawson Av. *Leigh* —6G **35**
Lawson Rd. *Bolt* —1A **22**
Lawson St. *Bolt* —5C **12**
Laxey Av. *Ath* —5E **37**
Laxford Gro. *Bolt* —5E **21**
Laycock Av. *Bolt* —6F **13**
Layfield Clo. *Tot* —1F **15**
Layton Dri. *Kear* —1B **40**
Lazonby Av. *Asp* —2B **26**
Leach St. *Bolt* —6C **22**
Leach St. *Farn* —4A **32**
Leacroft Av. *Bolt* —6H **23**
Leafield. *Tyl* —6A **38**
Lea Field Clo. *Rad* —2G **33**
Leaf St. *Bolt* —6G **23**
Lea Ga. Clo. *Bolt* —4H **13**
Leaside Gro. *Wor* —4A **40**
Lecturers Clo. *Bolt* —6D **22**
Lee Av. *Bolt* —2B **30**
Lee Bank. *W'houg* —5A **28**
Lee Ga. *Bolt* —4H **13**
Lee Gro. *Farn* —5D **30**
Leek St. *Rad* —2G **33**
Lee La. *Hor* —5C **8**
Lees Dri. *W'houg* —4A **28**
Lees Rd. *And* —1F **7**
Lees St. *Pen* —6H **41**
Lee St. *Ath* —5D **36**
Leewood. *Clif* —3F **41**
Le Gendre St. *Bolt* —2F **23**
(in two parts)
Leicester Av. *Hind* —1B **34**
Leicester Av. *Hor* —6C **8**
Leicester Rd. *Tyl* —5G **37**
Leigh Clo. *Tot* —2G **15**
Leigh La. *Bury* —6H **15**
Leigh Rd. *Ast* —6A **36**
Leigh Rd. *Hind* —6D **34**
Leigh Rd. *Leigh & Ath* —6A **36**
Leigh Rd. *W'houg* —5H **27**
(in two parts)
Leigh St. *Farn* —5H **31**
Leigh St. *Ince* —2B **26**
(Aspull)
Leigh St. *Ince* —6D **34**
(Hindley)
Leigh St. *Wals* —5H **15**
Leigh St. *W'houg* —4G **27**
Leighton Av. *Ath* —4B **36**
Leighton Av. *Bolt* —3H **21**
Leighton St. *Ath* —4B **36**
Leinster St. *Farn* —5G **31**
Le Mans Cres. *Bolt* —4D **22**
Lemon St. *Tyl* —6F **37**
Lena St. *Bolt* —1D **22**
Lenham Gdns. *Bolt* —5A **24**
Lennox Gdns. *Bolt* —6F **21**
Lenora St. *Bolt* —1H **29**
Leonard St. *Bolt* —2C **30**
Leslie St. *Bolt* —2F **23**
Lester Rd. *L Hul* —3B **38**
Letitia St. *Hor* —6C **8**
Leven Clo. *Kear* —2D **40**
Levens Dri. *Bolt* —2A **24**
Lever Bri. Pl. *Bolt* —6G **23**
Lever Chambers. *Bolt* —5D **22**
Lever Dri. *Bolt* —6C **22**
Lever Edge La. *Bolt* —3A **30**
Lever Gdns. *L Lev* —1C **32**
Lever Gro. *Bolt* —6E **23**
Lever Hall Rd. *Bolt* —4H **23**
Leverhulme Av. *Bolt* —2E **31**
Lever Pk. Av. *Hor* —4C **8**
Lever St. *Bolt* —1C **30**
(in two parts)
Lever St. *L Lev* —1C **32**
Lever St. *Rad* —6H **25**
Lever St. *Tyl* —6F **37**
Lever St. *W'houg* —2G **27**
Levi St. *Bolt* —2F **21**
Lewis Clo. *Adl* —3C **6**
Leybourne St. *Bolt* —1C **22**
Leyburn Gro. *Farn* —4H **31**
Leyland Av. *Hind* —4A **34**
Leyton Clo. *Farn* —4E **31**
Library St. *W'houg* —5H **27**

Libra St. *Bolt* —1B **22**
Lichfield Av. *Bolt* —1F **23**
Lichfield Clo. *Farn* —4E **31**
Lichfield Clo. *Rad* —6F **25**
Lichfield Rd. *Rad* —6F **25**
Lidgate Gro. *Farn* —5G **31**
Lidgett Clo. *L Hul* —2G **39**
Lightbounds Rd. *Bolt* —6F **11**
Lightburne Av. *Bolt* —4H **21**
Lightwood Clo. *Farn* —4A **32**
Lilford St. *Ath* —5B **36**
Lilly St. *Bolt* —3B **22**
Lily Av. *Farn* —4F **31**
Limefield Av. *Farn* —4H **31**
Limefield Clo. *Bolt* —5H **11**
Limefield Rd. *Bolt* —5H **11**
Limefield Rd. *Rad* —2F **33**
Lime Gro. *Hind* —4B **34**
Lime Gro. *Wor* —6H **39**
Limesdale Clo. *Brad F* —6D **24**
Lime St. *Farn* —5A **32**
Lime St. *Tyl* —6F **37**
Linacre Av. *Bolt* —3C **30**
Lincoln Av. *L Lev* —3C **32**
Lincoln Clo. *Tyl* —5G **37**
Lincoln Dri. *Asp* —6G **17**
Lincoln Gro. *Ath* —4B **36**
Lincoln Gro. *Bolt* —5B **14**
Lincoln Mill Enterprise Cen. *Bolt*
—5A **22**
Lincoln Rd. *Bolt* —3H **21**
Lincoln Rd. *Hind* —2A **34**
Lincoln St. *Bolt* —2D **22**
Lincroft Rd. *Hind* —4C **34**
Lindale Av. *Bolt* —3F **21**
Linden Av. *Ath* —5B **36**
Linden Av. *L Lev* —6C **24**
Linden Rd. *Hind* —6A **26**
Linden Wlk. *Bolt* —4F **13**
Lindfield Dri. *Bolt* —2C **22**
Lindisfarne Pl. *Bolt* —1G **23**
Lindley St. *Kear* —1D **40**
Lindley St. *L Lev* —2D **32**
Lindrick Ter. *Bolt* —6B **22**
Lindsay St. *Hor* —2F **19**
Lindsay Ter. *Asp* —6F **17**
Lindy Av. *Clif* —4H **41**
Linfield Clo. *Bolt* —5H **13**
Ling Dri. *Ath* —5D **36**
Lingfield Clo. *Farn* —6G **31**
Lingmell Clo. *Bolt* —3F **21**
Lingmoor Rd. *Bolt* —2F **21**
Links Dri. *Los* —4B **20**
Links Rd. *Bolt* —2F **29**
Links Rd. *Harw* —5C **14**
Links Rd. *Los* —4B **20**
Linnets Wood M. *Wor* —4A **40**
Linnyshaw Ind. Est. *Wor* —4B **40**
Linnyshaw La. *Wor* —3A **40**
Linslade Gdns. *Bolt* —6C **22**
Linstock Way. *Ath* —4B **36**
Linthorpe Wlk. *Bolt* —1H **29**
Lion La. *Blac* —1G **17**
Liscard St. *Ath* —4B **36**
Lismore Av. *Bolt* —6F **21**
Lister St. *Bolt* —2H **29**
Litherland Rd. *Bolt* —3C **30**
Littlebourne Wlk. *Bolt* —3E **13**
Lit. Brow. *Brom X* —2E **13**
Lit. Factory St. *Tyl* —6F **37**
Little Ga. *W'houg* —2G **35**
Lit. Harwood Lee. *Bolt* —6H **13**
Lit. Holme Wlk. *Bolt* —1D **30**
Lit. Meadow. *Eger* —2D **12**
Lit. Moor Clough. *Eger* —5C **2**
Lit. Moss La. *Swint* —5H **41**
Lit. Scotland. *Blac* —1F **17**
Lit. Stones Rd. *Eger* —5C **2**
Livsey Ct. *Bolt* —2D **22**
Lobelia Av. *Farn* —4E **31**
Lock La. *Los & Bolt* —1C **28**
Lodge Gro. *Ath* —6E **37**
Lodge La. *Ath* —6D **36**
Lodge Rd. *Ath* —6E **37**
Lodge View Cvn. Site. *Bolt* —3E **23**
Loen Cres. *Bolt* —6A **12**
Logan St. *Bolt* —4C **12**
Lomax St. *Bolt* —1C **22**
Lomax St. *Farn* —3G **31**

Lomax St. *G'mnt* —6H **5**
Lombard St. *Ath* —4B **36**
Lomond Pl. *Bolt* —5E **21**
London St. *Bolt* —1C **30**
Long Causeway. *Farn* —6H **31**
Longcliffe Wlk. *Bolt* —1D **22**
Longden St. *Bolt* —3A **22**
Longfellow Av. *Bolt* —2H **29**
Longfield Rd. *Bolt* —3G **29**
Longford Av. *Bolt* —1A **22**
Longhirst Clo. *Bolt* —6H **11**
Longhurst Rd. *Hind* —3B **34**
Long La. *Bolt* —6H **23**
Long La. *Hind* —3C **34**
Long La. *W'houg* —3E **27**
Longley Rd. *Wor* —5H **39**
Long Meadow. *Brom X* —2G **13**
Longridge. *Brom X* —1G **13**
Longridge Cres. *Bolt* —1F **21**
Longridge Dri. *Bury* —3H **25**
Longshaw Av. *Pen* —6H **41**
Longshaw Dri. *Wor* —3E **39**
Longshaw Ford Rd. *Bolt* —4E **11**
Longsight. *Bolt* —4A **14**
Longsight La. *Harw* —6H **13**
Longsight Rd. *Ram* —4H **5**
Longson St. *Bolt* —2E **23**
Longtown Gdns. Bolt —1C 22
(off Gladstone St.)
Longview Dri. *Wdly* —6E **41**
Longworth Av. *Blac* —6G **7**
Longworth Clough. *Eger* —5B **2**
Longworth La. *Eger* —6B **2**
Longworth Rd. *Eger* —4A **2**
Longworth Rd. *Hor* —5E **9**
Longworth St. *Bolt* —4G **23**
Lonsdale Gro. *Farn* —5G **31**
Lonsdale Rd. *Bolt* —3H **21**
Lord Av. *Ath* —6F **37**
Lord Gro. *Ath* —6F **37**
Lord's Stile La. *Brom X* —2F **13**
Lord St. *Ath* —6E **37**
Lord St. *Hind* —3A **34**
Lord St. *Hor* —5D **8**
Lord St. *Kear* —5A **32**
Lord St. *L Lev* —2D **32**
Lord St. *Rad* —2H **33**
Lord St. *W'houg* —4G **23**
Lorne St. *Bolt* —4D **22**
Lorne St. *Farn* —3G **31**
Lorton Gro. *Bolt* —3B **24**
Lostock Dene. *Los* —3B **20**
Lostock Ind. Est. *Los* —4F **19**
Lostock Junct. La. *Los* —5C **20**
Lostock La. *W'houg & Los* —6F **19**
Lostock Pk. Dri. *Los* —4A **20**
Lostock Rd. *W'houg* —1E **27**
LOSTOCK STATION. *BR* —5C **20**
Louisa St. *Bolt* —1C **22**
Louisa St. *Wor* —3H **39**
Louise Gdns. *W'houg* —1H **35**
Louvaine St. *Bolt* —5F **11**
Lovalle St. *Bolt* —2A **22**
Lovat Rd. *Bolt* —4D **24**
Loveless Ho. Ath —3D 36
(off Brooklands St.)
Lovers La. *Ath* —5H **35**
Lowe Av. *Ath* —2C **36**
Lowe Mill La. *Hind* —2A **34**
Lwr. Bridgeman St. *Bolt* —5E **23**
Lowercroft Rd. *Bury* —1G **25**
Lwr. Darcy St. *Bolt* —6G **23**
Lwr. Drake Field. *W'houg* —2G **35**
Lwr. Fold. *Bolt* —5B **14**
Lwr. Goodwin Clo. *Bolt* —6A **14**
Lwr. House Dri. *Los* —4C **20**
Lwr. House Wlk. *Brom X* —1E **13**
Lwr. Knotts. *Bolt* —3B **14**
Lwr. Landedmans. *W'houg*
—6H **27**
Lwr. Leigh Rd. *W'houg* —2H **35**
Lwr. Makinson Fold. *Hor* —1F **19**
Lwr. Marlands. *Brom X* —1D **12**
Lwr. Mead. *Eger* —6D **2**
Lwr. Meadow. *Tur* —1H **3**
Lwr. New Rd. *Wor* —6E **39**
Lwr. Rawson St. *Farn* —4A **32**
Lwr. Southfield. *W'houg* —6G **27**
Lower St. *Farn* —6G **31**

Lwr. Sutherland St. *Swint* —6G **41**
Lwr. Tong. *Brom X* —2D **12**
Lwr. Wood La. *Bolt* —2F **23**
Lowe St. *Rad* —1H **33**
Low Grn. *Ath* —2F **37**
Lowick Av. *Bolt* —2E **31**
Lowndes St. *Bolt* —3H **21**
Lowry Dri. *Pen* —6H **41**
Lowry Wlk. *Bolt* —2B **22**
Lowside Av. *Bolt* —5C **20**
Lowstern Clo. *Eger* —6C **2**
Lowther St. *Bolt* —3E **31**
(in two parts)
Lowton Ho. *Bolt* —3D **22**
(off Gray St.)
Lowton St. *Rad* —1H **33**
Loxham St. *Bolt* —3H **31**
Lucas Rd. *Farn & Wor* —5E **31**
Luciol Clo. *Tyl* —6A **38**
Lucy St. *Bolt* —2G **21**
Lucy St. *Farn* —5H **31**
Ludlow Av. *Hind* —3C **34**
Ludovic Ter. *Wig* —6A **16**
Luke Kirby Ct. *Pen* —6H **41**
Luke St. *Bolt* —6C **22**
Lulworth Dri. *Hind* —3C **34**
Lulworth Rd. *Bolt* —2G **29**
Lumb Carr Av. *Ram* —3H **5**
Lumb Carr Rd. *Holc* —4H **5**
Lumsden St. *Bolt* —6C **22**
Lum St. *Bolt* —3E **23**
Lumwood. *Bolt* —6H **11**
Lune St. *Tyl* —6F **37**
Lupin Av. *Farn* —4E **31**
Lurdin La. *Stand* —4A **16**
Luton Gro. *Ath* —4B **36**
Luton St. *Bolt* —1E **31**
Lydbrook Clo. *Bolt* —5C **22**
Lydford Gdns. *Bolt* —6B **24**
Lydgate Av. *Bolt* —3A **24**
Lydiate Clo. *Bolt* —2D **30**
Lymbridge Dri. *Blac* —1H **17**
Lymm Clo. *Wor* —4E **39**
Lyndene Av. *Wor* —6C **40**
Lyndon Clo. *Tot* —3H **15**
Lynsted Av. *Bolt* —2E **31**
Lynstock Way. *Los* —5G **19**
Lynton Av. *Pen* —6H **41**
Lynton Cres. *Wor* —6H **39**
Lynton Rd. *Bolt* —3A **30**
Lynton Rd. *Hind* —1B **34**
Lynton Rd. *Pen* —6H **41**
Lynton Rd. *Tyl* —6B **38**
Lynwood Av. *Bolt* —3F **31**
Lynwood Gro. *Ath* —4B **36**
Lynwood Gro. *Bolt* —5H **13**
Lyon Rd. *Kear* —2A **40**
Lyon Rd. Ind. Est. *Kear* —2A **40**
Lytton St. *Bolt* —1B **22**

Mabel Av. *Bolt* —2E **31**
Mabel's Brow. *Kear* —6A **32**
(in two parts)
Mabel St. *Bolt* —3A **22**
Mabel St. *W'houg* —6H **27**
Macdonald Av. *Farn* —6E **31**
McDonna St. *Bolt* —6A **12**
McKean St. *Bolt* —1E **31**
Mackenzie Gro. *Bolt* —5B **12**
Mackenzie St. *Bolt* —4B **12**
Madams Wood Rd. *Wor* —4D **38**
Madeley Gdns. *Bolt* —1C **22**
Madeline St. *Bolt* —3H **31**
Maesbrook Dri. *Tyl* —6G **37**
Mafeking Rd. *Bolt* —4A **24**
Maidstone Clo. *Leigh* —5E **35**
Makants Clo. *Ath* —1F **37**
Makant St. *Bolt* —6A **12**
Makinson Av. *Hind* —6A **26**
Makinson Av. *Hor* —1G **19**
Makinson La. *Hor* —5H **9**
Malcolm Av. *Clif* —4H **41**
Malcolm Dri. *Clif* —5H **41**
Malham Gdns. *Bolt* —6B **24**
Mallard Dri. *Hor* —6C **8**
Mallet Cres. *Bolt* —1F **21**
Mallison St. *Bolt* —6D **12**

Mallowdale Clo. *Bolt* —4D **20**
Maltby Dri. *Bolt* —2A **30**
Malton Av. *Bolt* —1G **29**
Malvern Av. *Ath* —2F **37**
Malvern Av. *Bolt* —2G **21**
Malvern Av. *Hind* —3C **34**
Malvern Clo. *Farn* —5D **30**
Malvern Clo. *Hor* —4E **9**
Malvern Gro. *Wor* —4H **39**
Manchester Rd. *Blac* —1H **17**
Manchester Rd. *Bolt* —5E **23**
Manchester Rd. *Cheq & Over H*
—4C **28**
Manchester Rd. *Farn* —5A **32**
Manchester Rd. *Kear & Clif*
—1C **40**
Manchester Rd. *Tyl* —6G **37**
Manchester Rd. *W'houg* —4B **18**
(Hilton House)
Manchester Rd. *W'houg* —2G **27**
(Westhoughton)
Manchester Rd. *Wor & Wdly*
—5H **39**
Manchester Rd. E. *L Hul* —3E **39**
Manchester Rd. W. *L Hul* —1B **38**
Mancroft Av. *Bolt* —1B **30**
Mandley Clo. *L Lev* —6C **24**
Mandon Clo. *Rad* —6G **25**
Manley Av. *Clif* —3G **41**
Manley Cres. *W'houg* —4B **28**
Manley Row. *W'houg* —4B **28**
Manley Ter. *Bolt* —5C **12**
Manningham Rd. *Bolt* —6H **21**
Manor Av. *L Lev* —2E **33**
Manor Ct. *Bolt* —5H **13**
Manorfield Clo. *Bolt* —2G **21**
Manor Fold. *Ath* —4C **36**
Manor Ga. Rd. *Bolt* —3B **24**
Manor Gro. *Asp* —6F **17**
Manorial Dri. *L Hul* —1C **38**
Manor Rd. *Hind* —2B **34**
Manor Rd. *Hor* —5F **9**
Manor St. *Bolt* —4D **22**
Manor St. *Farn* —6G **31**
Manor St. *Kear* —2D **40**
Mansell Way. *Hor* —3G **19**
Mansfield Dri. *Bolt* —2H **21**
Maple Av. *Ath* —3B **36**
Maple Av. *Bolt* —2H **21**
Maple Av. *Hind* —4B **34**
Maple Av. *Hor* —2G **19**
Maple Clo. *Kear* —2B **40**
Maple Gro. *Tot* —4H **15**
Maple Rd. *Farn* —5E **31**
Maple St. *Bolt* —4G **13**
Maplewood Gdns. *Bolt* —2C **22**
Maplewood Ho. *Bolt* —1C **22**
Marcus St. *Bolt* —2H **21**
Mardale Av. *Wdly* —5E **41**
Mardale Clo. *Ath* —2C **36**
Mardale Clo. *Bolt* —2B **24**
Mardale Dri. *Bolt* —2B **24**
Margaret St. *Hind* —1A **34**
Maria St. *Bolt* —1C **22**
Marion St. *Bolt* —3G **31**
Market Hall. *Bolt* —4D **22**
Market Pl. *Adl* —2E **7**
Market Pl. *Ath* —4D **36**
Market Pl. *Bolt* —3D **22**
Market Pl. *Farn* —5H **31**
Market Pl. *Pen* —6H **41**
Market St. *Adl* —3E **7**
Market St. *Ath* —4C **36**
Market St. *Bolt* —4D **22**
Market St. *Farn* —4H **31**
Market St. *Hind* —2A **34**
Market St. *L Lev* —2C **32**
Market St. *Pen* —6H **41**
Market St. *Rad* —5D **32**
Market St. *Tot* —2H **15**
Market St. *Tyl* —6F **37**
Market St. *W'houg* —5G **27**
Markland Hill. *Bolt* —3E **21**
Markland Hill Clo. *Bolt* —2F **21**
Markland Hill La. *Bolt* —2F **21**
Markland St. *Bolt* —5D **22**
(off Soho St.)
Markland St. *Bolt* —6E **23**
(off Thynne St.)

Markland Tops. *Bolt* —2F **21**
Marlands Sq. *Tyl* —6F **37**
(off Lime St.)
Marlborough Gdns. *Farn* —5E **31**
Marlborough Rd. *Ath* —3E **37**
Marlborough St. *Bolt* —3A **22**
Marlbrook Dri. *W'houg* —2G **35**
Marlbrook Wlk. *Bolt* —1D **30**
Marld Cres. *Bolt* —1F **21**
Marley Hey. *Tur* —2H **3**
Marlow Clo. *Bolt* —2B **24**
Marlwood Rd. *Bolt* —1F **21**
Marnland Gro. *Bolt* —1E **29**
Marple Av. *Bolt* —5E **13**
Mars Av. *Bolt* —2A **30**
Marsden Rd. *Bolt* —4C **22**
Marsden St. *W'houg* —5G **27**
Marsden St. *Wor* —5D **40**
Marsden Wlk. *Rad* —1H **33**
Marshbank. *W'houg* —4G **27**
Marshbrook Clo. *Hind* —2C **34**
Marsh Brook Fold. *W'houg*
—6C **26**
Marshdale Rd. *Bolt* —3F **21**
Marsh Fold La. *Bolt* —3A **22**
Marsh La. *Farn* —5E **31**
Marsh La. *L Lev* —1D **32**
Marsh Rd. *L Hul* —3F **39**
Marsh Rd. *L Lev* —1C **32**
Marsh Row. *Hind* —3C **34**
Marsh St. *Bolt* —1C **22**
Marsh St. *Hor* —5C **8**
Marsh St. *W'houg* —4G **27**
Marsh St. *Wor* —5B **40**
Mars St. *Tur* —1A **4**
Marston Clo. *Los* —3H **19**
Martha St. *Bolt* —1B **30**
Martin Av. *Farn* —6D **30**
Martin Av. *L Lev* —2E **33**
Martindale Gdns. *Bolt* —1C **22**
Martingale Clo. *Rad* —6H **25**
Martin Gro. *Kear* —6B **32**
Martins Ct. *Hind* —1C **34**
Martin St. *Ath* —4D **36**
Martin St. *Tur* —3H **3**
Martlew Dri. *Ath* —3F **37**
Marton Av. *Bolt* —3G **23**
Marton Dri. *Bolt* —3E **37**
Marwood Clo. *Rad* —5C **32**
Mary Hulton Ct. *W'houg* —5A **28**
Maryland Av. *Bolt* —4H **23**
Mary St. *Farn* —6H **31**
Mary St. *Tyl* —6G **37**
Mary St. E. *Hor* —5D **8**
Mary St. W. *Hor* —4C **8**
Masbury Clo. *Bolt* —2C **12**
Masefield Av. *Rad* —1G **33**
Masefield Dri. *Farn* —6F **31**
(in two parts)
Masefield Rd. *L Lev* —1D **32**
Masmyth St. *Hor* —6E **9**
Mason Gdns. *Bolt* —5C **22**
Mason La. *Ath* —5E **37**
Mason Row. *Eger* —5B **2**
Mason St. *Hor* —6C **8**
Matchmoor La. *Hor* —5H **9**
Mather Fold Rd. *Wor* —6F **39**
Mather St. *Ath* —4D **36**
Mather St. *Bolt* —5C **22**
Mather St. *Kear* —5A **32**
Matlock Clo. *Ath* —5D **36**
Matlock Clo. *Farn* —4A **32**
Matthews Av. *Kear* —6B **32**
Maud St. *Bolt* —4G **13**
Maunby Gdns. *L Hul* —4G **39**
Mawdsley St. *Bolt* —4D **22**
Maxton Ho. *Farn* —5A **32**
Maxwell St. *Bolt* —5C **12**
Maybank St. *Bolt* —6B **22**
Maybreck Clo. *Bolt* —6A **22**
Mayfair. *Hor* —6F **9**
Mayfair Av. *Rad* —1F **33**
Mayfair Dri. *Asp* —3A **26**
Mayfair Dri. *Ath* —3F **37**
Mayfield. *Bolt* —4H **13**
Mayfield. *Rad* —3G **33**
Mayfield Av. *Adl* —2E **7**
Mayfield Av. *Bolt* —2F **31**

Mayfield Av. *Farn* —6G **31**
Mayfield Av. *Wor* —4H **39**
Mayfield Rd. *Ram* —5H **5**
Mayfield St. *Ath* —4C **36**
Mayflower Cotts. *Stand* —3A **16**
Mayor St. *Bolt* —5B **22**
May St. *Bolt* —4E **23**
May St. *Tur* —1A **4**
Maze St. *Bolt* —6G **23**
Meade, The. *Bolt* —3C **30**
Meadland Gro. *Bolt* —5D **12**
Meadowbank Av. *Ath* —3E **37**
Meadowbank Rd. *Bolt* —3H **29**
Meadowbrook Clo. *Los* —2B **28**
Meadow Clo. *L Lev* —3D **32**
Meadowcroft. *Rad* —6H **25**
Meadowcroft. *W'houg* —6H **27**
Meadowfield. *Los* —4B **20**
Meadow La. *Bolt* —4C **24**
Meadow Pit La. *Haig* —3G **17**
Meadowside Av. *Bolt* —3G **23**
(in two parts)
Meadowside Av. *Wor* —3A **40**
Meadowside Clo. *Rad* —6H **25**
Meadowside Gro. *Wor* —4A **40**
Meadows La. *Bolt* —6B **14**
Meadows, The. *Rad* —6G **25**
Meadow, The. *Adl* —3E **7**
Meadow, The. *Bolt* —4C **20**
Meadow Wlk. *Farn* —5E **31**
Meadow Way. *Blac* —2A **18**
Meadow Way. *Tot* —3G **15**
Meadow Way. *Tur* —1H **3**
Meads Gro. *Farn* —5C **30**
Meadway. *Farn* —4B **32**
Meadway. *Tyl* —6B **38**
Mealhouse Ct. *Ath* —4C **36**
Mealhouse La. *Ath* —4C **36**
Mealhouse La. *Bolt* —4D **22**
Meanley St. *Tyl* —6G **37**
Medlock Clo. *Farn* —5F **31**
Medway Clo. *Hor* —6F **9**
Medway Dri. *Hor* —6F **9**
Medway Dri. *Kear* —2D **40**
Medway Rd. *Wor* —6F **39**
Megfield. *W'houg* —1G **35**
Melbourne Clo. *Hor* —6E **9**
Melbourne Gro. *Hor* —6E **9**
Melbourne Rd. *Bolt* —6H **21**
Melbury Dri. *Los* —3H **19**
Melford Ho. *Bolt* —2C **22**
(off Nottingham Dri.)
Meliden Cres. *Bolt* —2H **21**
Mellor Dri. *Wor* —6G **39**
Mellor Gro. *Bolt* —2H **21**
(in two parts)
Melrose Av. *Bolt* —2G **21**
Melrose Av. *Leigh* —6F **35**
Melrose Gdns. *Rad* —6G **25**
Melrose Rd. *L Lev* —2B **32**
Melrose Rd. *Rad* —6G **25**
Meltham Pl. *Bolt* —1A **30**
Melton Clo. *Wor* —5G **39**
Melton Row. *Rad* —1H **33**
Melton St. *Rad* —1H **33**
Melton Wlk. *Rad* —1H **33**
Melton Way. *Rad* —1H **33**
Melville Rd. *Kear* —1B **40**
Melville St. *Bolt* —1E **31**
Memorial Rd. *Wor* —5H **39**
Menai St. *Bolt* —1H **29**
Mendip Clo. *Bolt* —6C **24**
Mendip Clo. *Hor* —4E **9**
Mendip Dri. *Bolt* —5C **24**
Mercia St. *Bolt* —6A **22**
Mere Bank Clo. *Wor* —4G **39**
Mereclough Av. *Wor* —6B **40**
Meredith St. *Bolt* —2D **30**
Mere Dri. *Clif* —5H **41**
Merefold. *Hor* —6B **8**
Mere Fold. *Wor* —4F **39**
Mere Gdns. *Bolt* —3C **22**
Merehall Clo. *Bolt* —3C **22**
Merehall Dri. *Bolt* —2C **22**
Merehall St. *Bolt* —2B **22**
Mereside Gro. *Wor* —4A **40**
Mere Wlk. *Bolt* —3C **22**
Meriden Clo. *Rad* —5H **25**
Meriden Gro. *Los* —5D **20**

Merlin Gro.—Normanby Rd.

Merlin Gro. *Bolt* —2H **21**
(in two parts)
Merrion St. *Farn* —3G **31**
Mersey Clo. *Hind* —4E **35**
Merton Clo. *Bolt* —6A **22**
Mesne Lea Rd. *Wor* —6A **40**
Metal Box Way. *W'houg* —3H **27**
Metcalfe Ter. *Ain* —2F **25**
Metfield Pl. *Bolt* —3A **22**
Methwold St. *Bolt* —1A **30**
Mews, The. *Bolt* —3H **21**
Mickleton. *Ath* —3E **37**
Middlebrook Dri. *Los* —5C **20**
Middlefell St. *Farn* —3H **31**
Middle Fold. *Tur* —1H **3**
Middleton Clo. *Rad* —4H **25**
Midford Dri. *Bolt* —2C **12**
Midhurst Clo. *Bolt* —2C **22**
Milburn Dri. *Bolt* —3B **24**
Mile La. *Bury* —2H **25**
Miles St. *Farn* —5G **31**
Milford Rd. *Bolt* —2C **30**
Milford Rd. *Harw* —5B **14**
Milk St. *Tyl* —6G **37**
Millbeck Gro. *Bolt* —1C **30**
Millbrook Av. *Ath* —2E **37**
Millbrook Ho. *Farn* —5A **32**
Mill Croft. *Bolt* —3B **22**
Milldale Clo. *Ath* —4C **36**
Miller's La. *Ath* —5D **36**
Miller St. *Blac* —4A **18**
Miller St. *Rad* —5H **25**
Millfield Rd. *Bolt* —4C **24**
Millgate. *Eger* —5B **2**
Mill Hill. *L Hul* —1C **38**
Mill Hill Cvn. Pk. Bolt —3E 23
(off Mill Hill St.)
Mill Hill St. *Bolt* —3E **23**
Mill La. *Asp* —2B **26**
Mill La. *Bolt* —3E **23**
Mill La. *Hor* —5F **9**
Mill La. *Los* —4H **19**
(in two parts)
Mill La. *W'houg* —2G **35**
Millstone Rd. *Bolt* —2F **21**
Mill St. *Adl* —1E **7**
Mill St. *Bolt* —4E **23**
Mill St. *Brom X* —1D **12**
Mill St. *Farn* —5G **31**
Mill St. *Tot* —2H **15**
Mill St. *Tyl* —6E **37**
Mill St. *W'houg* —5H **27**
Milner St. *Rad* —2G **33**
Milnholme. *Bolt* —6H **11**
Milnthorpe Rd. *Bolt* —3A **24**
Milsom Av. *Bolt* —2A **30**
Milton Av. *Bolt* —2H **29**
Milton Av. *L Lev* —1D **32**
Milton Clo. *Ath* —2D **36**
Milton Cres. *Farn* —1F **39**
Milton Rd. *Rad* —1F **33**
Milton Rd. *Swint* —6F **41**
Milverton Clo. *Los* —6D **20**
Mimosa Dri. *Pen* —5H **41**
Minehead Av. *Leigh* —5F **35**
Minerva Rd. *Farn* —4D **30**
Minerva St. *Bolt* —4F **23**
Minnie St. *Bolt* —2A **30**
Minorca St. *Bolt* —1C **30**
Minster Clo. *Bolt* —1G **23**
Minster Rd. *Bolt* —1G **23**
Miriam St. *Bolt* —1H **29**
Miry La. *W'houg* —2F **35**
(in two parts)
Mitre St. *Bolt* —5C **12**
Mitton Clo. *Bury* —1G **25**
Mobberley Rd. *Bolt* —3H **23**
Modbury Ct. *Rad* —6D **32**
Moffat Clo. *Bolt* —5B **24**
Moisant St. *Bolt* —2B **30**
Mold St. *Bolt* —2C **22**
Molyneux Rd. *W'houg* —4A **28**
Mona St. *Bolt* —1C **22**
Moncrieffe St. *Bolt* —6E **23**
Monks La. *Bolt* —1H **23**
Montague St. *Bolt* —2H **29**
Montford Clo. *W'houg* —1F **35**
Montgomery Way. *Rad* —6E **25**
Monton St. *Bolt* —2C **30**

Monton St. *Rad* —2H **33**
Montrose Av. *Bolt* —2G **23**
Montrose Av. *Ram* —5H **5**
Montrose Dri. *Brom X* —2F **13**
Montserrat Brow. *Bolt* —1D **20**
Montserrat Rd. *Bolt* —1E **21**
Monyash View. *Hind* —4B **34**
Moorbottom Rd. *Holc* —1G **5**
Moorby Wlk. *Bolt* —6D **22**
Moor Clo. *Rad* —6G **25**
Moorfield. *Tur* —1H **3**
Moorfield Chase. *Farn* —6H **31**
Moorfield Gro. *Bolt* —2F **23**
Moorgate. *Bolt* —4H **13**
Moorgate Clo. *Bolt* —2F **23**
Moorgate Rd. *Rad* —3G **25**
Moorhey Rd. *L Hul* —1D **38**
Moorland Dri. *Hor* —6H **9**
Moorland Dri. *L Hul* —1D **38**
Moorland Gro. *Bolt* —1G **21**
Moorlands View. *Bolt* —3G **29**
Moor La. *Bolt* —5C **22**
Moor La. *Leigh* —6G **35**
Moor Platt Clo. *Hor* —6H **9**
Moor Rd. *Holc* —1H **5**
Moorside Av. *Ain* —2F **25**
Moorside Av. *Bolt* —1G **21**
(in two parts)
Moorside Av. *Farn* —6F **31**
Moorside Av. *Hor* —5E **9**
Moorside Rd. *Swint* —6F **41**
Moorside Rd. *Tot* —3G **15**
MOORSIDE STATION. *BR* —6F **41**
Moor St. *Asp* —6H **17**
Moor Way. *Hawk* —4D **4**
Morar Dri. *Bolt* —4C **24**
Morley Rd. *Rad* —1F **33**
Morley St. *Ath* —4C **36**
Morley St. *Bolt* —5C **22**
Mornington Rd. *And* —1F **7**
Mornington Rd. *Ath* —1F **37**
Mornington Rd. *Bolt* —3H **21**
Mornington Rd. *Hind* —2B **34**
Morris Fold Dri. *Los* —5B **20**
Morris Grn. *Bolt* —3A **30**
Morris Grn. Bus. Pk. *Bolt* —1A **30**
Morris Grn. La. *Bolt* —2A **30**
Morris Grn. La. *Bolt* —3A **30**
Morrison St. *Bolt* —2C **30**
Morris St. *Bolt* —4E **23**
Morris St. *Tyl* —6F **37**
Mort Ct. *Bolt* —6A **12**
Mortfield Gdns. *Bolt* —3B **22**
Mortfield La. *Bolt* —3B **22**
(in two parts)
Mort Fold. *L Hul* —2E **39**
Mortlake Clo. *Wor* —4D **38**
Mort La. *Tyl* —6C **38**
Mortons, The. *W'houg* —3G **27**
Morton St. *Bolt* —4E **23**
Mort St. *Farn* —5F **31**
Mort St. *Hind* —2C **34**
Mort St. *Hor* —5D **8**
Mort St. *Tyl* —6F **37**
Morven Gro. *Bolt* —4B **24**
MOSES GATE STATION. *BR*
—3G **31**
Mosley St. *Rad* —6H **25**
Moss Bank Clo. *Bolt* —5B **12**
Moss Bank Gro. *Wdly* —5F **41**
Moss Bank Rd. *Wdly* —5F **41**
Moss Bank Trad. Est. *Wor* —3A **40**
Moss Bank Way. *Bolt* —2E **21**
Mossbrook Dri. *L Hul* —1C **38**
Moss Clo. *Rad* —6F **25**
Moss Colliery Rd. *Clif* —4G **41**
Mossdale Av. *Bolt* —4D **20**
Moss Dri. *Hor* —6H **9**
Mossfield Ct. *Bolt* —3C **22**
Mossfield Rd. *Farn* —5F **31**
Mossfield Rd. *Kear* —2B **40**
Mossfield Rd. *Swint* —5G **41**
Mossland Gro. *Bolt* —3D **28**
Moss La. *Bolt* —6G **11**
Moss La. *Hor* —1B **18**
Moss La. *Kear* —2D **40**
Moss La. *Wdly* —5F **41**
Moss La. *Wor* —3A **40**
(in two parts)

Moss Lea. *Bolt* —5B **12**
Moss Meadow. *W'houg* —3G **27**
Moss Rd. *Kear* —6A **32**
(in two parts)
Moss Shaw Way. *Rad* —6F **25**
Moss St. *Farn* —4A **32**
Moss View Rd. *Bolt* —3A **24**
Mottershead Av. *L Lev* —1C **32**
Mottram M. *Hor* —5D **8**
Mottram St. *Hor* —5D **8**
Mountain Gro. *Wor* —3G **39**
Mountain St. *Wor* —3G **39**
Mountfield Wlk. *Bolt* —2C **22**
(in two parts)
Mountmorres Clo. *Bolt* —6F **29**
Mt. Pleasant. *Adl* —1E **7**
Mt. Pleasant. *Bolt* —6G **23**
Mt. Pleasant. *Rad* —1H **33**
Mt. Pleasant. *Tur* —2H **3**
Mt. Pleasant Rd. *Farn* —5D **30**
Mt. Pleasant St. *Hor* —2F **19**
Mt. Pleasant Wlk. *Rad* —1H **33**
(in two parts)
Mt. St Joseph's Rd. *Bolt* —6H **21**
Mt. Sion Rd. *Rad* —3F **33**
Mt. Skip La. *L Hul* —3E **39**
Mount St. *Bolt* —2C **22**
Mount St. *Hor* —1F **19**
Mowbray St. *Bolt* —2H **21**
Moyse Av. *Wals* —4H **15**
Muirfield Clo. *Bolt* —2F **29**
Mule St. *Bolt* —3E **23**
Mulgrave St. *Bolt* —3A **30**
Mulgrave St. *Swint* —6F **41**
Mulliner St. *Bolt* —2D **22**
Mullineux St. *Wor* —5H **39**
Murray St. *Ath* —5B **36**
Murton Ter. Bolt —5D 12
(off Holly St.)
Musgrave Gdns. *Bolt* —3A **22**
Musgrave Rd. *Bolt* —3H **21**
Mycroft Clo. *Leigh* —6G **35**
Myrrh St. *Bolt* —6C **12**
Myrrh Wlk. Bolt —6C 12
(off Myrrh St.)
Myrtle St. *Bolt* —3B **22**
Mytham Gdns. *L Lev* —3D **32**
Mytham Rd. *L Lev* —2D **32**
Mytton Rd. *Bolt* —5H **11**

Nabbs Fold. *G'mnt* —4H **5**
Nabbs Way. *G'mnt* —6H **5**
Nandywell. *L Lev* —2D **32**
Nantes Ct. *Bolt* —1B **22**
Nantwich Wlk. *Bolt* —1C **30**
Narcissus Wlk. *Wor* —4D **38**
Nasmyth St. *Hor* —6E **9**
Naylor St. *Ath* —5C **36**
Near Hey Clo. *Rad* —2G **33**
Neasden Gro. *Bolt* —6A **22**
Neath Fold. *Bolt* —2B **30**
Nebo St. *Bolt* —1B **30**
Nebraska St. *Bolt* —2C **22**
Nell St. *Bolt* —5C **12**
Nelson Fold. *Pen* —6H **41**
Nelson Sq. *Bolt* —4D **22**
Nelson St. *Ath* —3B **36**
(in two parts)
Nelson St. *Bolt* —6E **23**
(Bolton)
Nelson St. *Bolt* —2D **32**
(Little Lever)
Nelson St. *Farn* —5A **32**
Nelson St. *Hind* —1A **34**
Nelson St. *Hor* —6F **9**
Nelson St. *Tyl* —6H **37**
Nesbit St. *Bolt* —6F **13**
Neston Av. *Bolt* —4D **12**
Neston Rd. *Wals* —5H **15**
Nethercott Ct. *Tyl* —6E **37**
Netherfield Rd. *Bolt* —3B **30**
Netherton Gro. *Farn* —3F **31**
Netley Gdns. *Rad* —1G **33**
Nevada St. *Bolt* —2C **22**
Neville Clo. *Bolt* —3C **22**
Nevis Gro. *Bolt* —4B **12**
Nevy Fold Av. *Hor* —6H **9**
Newark Av. *Rad* —6E **25**

New Barn St. *Bolt* —2H **21**
Newbridge Gdns. *Bolt* —5A **14**
New Briggs Fold. *Eger* —5C **2**
Newbrook Rd. *Ath & Bolt* —2F **37**
New Brunswick St. *Hor* —6D **8**
Newbury Rd. *L Lev* —2B **32**
Newbury Wlk. *Bolt* —2C **22**
Newby Rd. *Bolt* —2A **24**
New Chapel La. *Hor* —1G **19**
New Church Rd. *Bolt* —1F **21**
Newcombe Dri. *L Hul* —1D **38**
New Ct. Dri. *Eger* —4B **2**
New Drake Grn. *W'houg* —2G **35**
Newearth Rd. *Wor* —6F **39**
New Ellesmere App. *Wor* —3H **39**
Newenden Rd. *Wig* —6A **16**
Newfield Clo. *Rad* —2G **33**
Newgate Dri. *L Hul* —1D **38**
New Grn. *Bolt* —3A **14**
Newhall Av. *Brad F* —5D **24**
New Hall La. *Bolt* —2G **21**
Newhall Pl. *Bolt* —3G **21**
Newhaven Wlk. *Bolt* —2F **23**
New Heys Way. *Bolt* —3H **13**
New Holder St. *Bolt* —4C **22**
Newholme Gdns. *Wor* —4G **39**
Newington Dri. *Bolt* —2D **22**
Newington Wlk. *Bolt* —2D **22**
(in two parts)
Newland Dri. *Bolt* —6F **29**
Newlands Av. *Bolt* —2B **24**
Newlands Dri. *Blac* —4A **18**
New La. *Bolt* —2H **23**
New Lodge, The. *Ath* —4C **36**
Newmarket Rd. *L Lev* —3C **32**
New Meadow. *Los* —4C **20**
Newnham St. *Bolt* —5C **12**
Newport M. *Farn* —6H **31**
Newport Rd. *Bolt* —2E **31**
Newport St. *Bolt* —4D **22**
(in two parts)
Newport St. *Farn* —6H **31**
Newport St. *Tot* —4H **15**
Newquay Av. *Bolt* —2F **25**
New Riven Ct. *L Lev* —2C **32**
New Rd. *And* —1H **7**
New Rd. *Haig* —5E **17**
New Rock. *W'houg* —2H **35**
Newry St. *Bolt* —6B **12**
Newsham Clo. *Bolt* —6B **22**
New Springs. *Bolt* —5H **11**
Newstead Dri. *Bolt* —3G **29**
New St. *Blac* —1H **17**
New St. *Bolt* —5C **22**
New St. *Tot* —3H **15**
New Tempest Rd. *Los* —1C **28**
Newton Dri. *G'mnt* —6H **5**
New Tong Field. *Brom X* —2D **12**
Newton St. *Bolt* —1C **22**
Newton Ter. *Bolt* —1C **22**
Newton Wlk. *Bolt* —1C **22**
Newtown Clo. *Pen* —5H **41**
Neyland Clo. *Bolt* —4F **21**
Nicholas St. *Bolt* —3E **23**
Nicola St. *Eger* —1C **12**
Nightingale Rd. *Blac* —6G **7**
Nightingale St. *Adl* —1E **7**
Nightingale Wlk. *Bolt* —2D **30**
Nile St. *Bolt* —6D **22**
Ninehouse La. *Bolt* —1D **30**
Ninian Gdns. *Wor* —4H **39**
Nixon Rd. *Bolt* —2A **30**
Nixon Rd. S. *Bolt* —2A **30**
Noble St. *Bolt* —6C **22**
Nole St. *Bolt* —4C **22**
Nook Fields. *Bolt* —6A **14**
Norbreck Gdns. *Bolt* —3G **23**
Norbreck Pl. *Bolt* —3G **23**
Norbreck St. *Bolt* —3G **23**
Norbury Gro. *Bolt* —5E **13**
Norbury Gro. *Pen* —6H **41**
Norden Ct. *Bolt* —1C **30**
Norfolk Clo. *Hind* —1C **34**
Norfolk Clo. *L Lev* —1D **32**
Norfolk Dri. *Farn* —4H **31**
Norfolk Rd. *Ath* —2B **36**
Norfolk St. *Wor* —1H **39**
Normanby Gro. *Swint* —6G **41**
Normanby Rd. *Wor* —6G **39**

Normanby St. *Bolt* —3H **29**
Normanby St. *Swint* —6G **41**
Normandale Av. *Bolt* —2G **21**
Normandy Cres. *Rad* —2H **33**
Norman St. *Bolt* —2D **30**
Norris Rd. *W'houg* —4C **28**
Norris St. *Bolt* —6C **22**
Norris St. *Farn* —6G **31**
Norris St. *L Lev* —2C **32**
Norris St. *Tyl* —6G **37**
North Av. *Farn* —5E **31**
North Av. *G'mnt* —6H **5**
Northcote St. *Rad* —3H **33**
N. Dean St. *Pen* —6H **41**
Northern Gro. *Bolt* —2A **22**
Northfield St. *Bolt* —6A **22**
North Gro. *Wor* —4G **39**
Northland Rd. *Bolt* —3D **12**
Northlands. *Rad* —6G **25**
Northolt 'Dri. *Bolt* —1D **30**
North Rd. *Ath* —3B **36**
North St. *Ath* —4E **37**
Northumbria St. *Bolt* —6A **22**
North Way. *Bolt* —5F **13**
Northwold Dri. *Bolt* —3E **21**
Northwood. *Bolt* —5H **13**
Northwood Cres. *Bolt* —6A **22**
Norton St. *Bolt* —6D **12**
Norway St. *Bolt* —1B **22**
Norwick Clo. *Bolt* —1E **29**
Norwood Clo. *Adl* —1E **7**
Norwood Clo. *Wor* —6A **40**
Norwood Gro. *Bolt* —3A **22**
Nottingham Dri. *Bolt* —2C **22**
Nuffield Ho. *Bolt* —2H **21**
Nugent Rd. *Bolt* —2C **30**
Nunnery Rd. *Bolt* —1H **29**
Nut St. *Bolt* —1B **22**
Nuttall Av. *Hor* —4E **9**
Nuttall St. *L Lev* —2E **33**
Nuttall St. *Ath* —4E **37**

Oak Av. *Hind* —4C **34**
Oak Av. *Hor* —3G **19**
Oak Av. *L Lev* —2D **32**
Oakbank Dri. *Bolt* —3B **12**
Oak Barton. *Los* —1C **28**
Oak Coppice. *Rad* —6A **21**
Oakdale. *Bolt* —5H **13**
Oakenbottom Rd. *Bolt* —4H **23**
Oakenclough Dri. *Bolt* —1F **21**
Oakes St. *Kear* —6B **32**
Oakfield Av. *Ath* —3C **36**
Oakfield Clo. *Hor* —1H **19**
Oakfield Cres. *Asp* —6G **17**
Oakfield Dri. *L Hul* —7C **38**
Oakfield Gro. *Farn* —1G **39**
Oakford Wlk. *Bolt* —1A **30**
Oak Gates. *Eger* —6C **2**
Oakhampton Clo. *Rad* —6E **25**
Oakhill Clo. *Bolt* —4C **24**
Oakhill Trad. Est. *Wor* —2G **39**
Oakhurst Gro. *W'houg* —6F **27**
Oakland Ct. *Hind* —4B **34**
Oakland Gro. *Bolt* —1G **21**
Oaklands. *Bolt* —4F **21**
Oaklands. *Los* —3B **20**
Oakleigh Av. *Bolt* —3E **31**
Oakley Clo. *Rad* —5H **33**
Oakley Pk. *Bolt* —4F **21**
Oaklings, The. *Hind* —4C **34**
Oaks Av. *Bolt* —5G **13**
Oaks La. *Bolt* —4F **13**
Oak St. *Ath* —6A **36**
Oak St. *Tyl* —6G **37**
Oak Tree Clo. *Ath* —6A **36**
Oakwood Av. *Clif* —3G **41**
Oakwood Av. *Wor* —5B **40**
Oakwood Dri. *Bolt* —3F **21**
Oakwood Dri. *Wor* —5B **40**
Oban Gro. *Bolt* —4C **12**
Oban St. *Bolt* —6B **12**
Oban Way. *Asp* —6H **17**
Octagon Ct. *Bolt* —5D **22**
Offerton St. *Hor* —6C **8**
Olaf St. *Bolt* —2F **23**
Old Barn Pl. *Brom X* —1E **13**
Oldbridge Dri. *Hind* —1A **34**

Old Clough La. *Wor* —6B **40**
(in two parts)
Old Doctors St. *Tot* —2H **15**
Old Eagley M. *Bolt* —3D **12**
Oldfield Clo. *W'houg* —5H **27**
Old Fold Rd. *Asp* —6H **17**
(in two parts)
Old Fold Rd. *W'houg* —6D **26**
Old Green. *G'mnt* —6H **5**
Old Greenwood La. *Hor* —2F **19**
Old Hall Clough. *Los* —4C **20**
Old Hall La. *Los* —2C **20**
Old Hall La. *W'houg* —1G **35**
Old Hall St. *Kear* —6A **32**
Old Hall St. N. *Bolt* —4D **22**
Oldhams Ter. *Bolt* —4B **12**
(in three parts)
Oldham St. *Bolt* —5B **22**
Old Kiln La. *Bolt* —1C **20**
Old La. *Hor* —1H **19**
(in three parts)
Old La. *L Hul* —1D **38**
Old La. *W'houg* —6F **27**
Old La. *Wig* —6A **16**
Old Links Clo. *Bolt* —1E **21**
Old Lord's Cres. *Hor* —4D **8**
Old Manor Pk. *Ath* —5A **36**
Old Nans La. *Bolt* —1B **24**
Old Nursery Fold. *Bolt* —5A **14**
Old Oak Clo. *Bolt* —6D **24**
Old Oake Clo. *Wor* —5A **40**
Old Quarry La. *Eger* —6D **2**
Old Rake. *Hor* —4F **9**
Old Rd. *Bolt* —5C **12**
Old School La. *Adl* —4C **6**
Oldstead Gro. *Bolt* —1F **29**
Old Swan Clo. *Eger* —5C **2**
Old Swan Cotts. *Eger* —5C **2**
Old Vicarage. *W'houg* —2G **35**
Old Vicarage Gdns. *Wor* —4H **39**
Old Vicarage M. *W'houg* —2G **35**
Old Vicarage Rd. *Hor* —6H **9**
Old Wells Clo. *L Hul* —1E **39**
Old Will's La. *Hor* —3D **8**
Old Wood La. *Bolt* —3C **24**
Olga St. *Bolt* —1B **22**
Oliver St. *Ath* —4D **36**
Olive St. *Bolt* —1B **30**
Ollerbrook Ct. *Bolt* —1D **22**
Ollerton St. *Adl* —1E **7**
Ollerton St. *Bolt* —3D **12**
Ollerton Ter. *Bolt* —3D **12**
(off Ollerton St.)
Openshaw Pl. *Farn* —5F **31**
Oracle Ct. *Wor* —5G **39**
Orchard Av. *Bolt* —6D **12**
Orchard Gdns. *Bolt* —6B **14**
Orchard St. *Kear* —6A **32**
Orchard, The. *W'houg* —4G **27**
(off Gerrard St.)
Orchid Av. *Farn* —4F **31**
Ordsall Av. *L Hul* —3F **39**
Organ St. *Hind* —4D **34**
Oriel St. *Bolt* —6A **22**
Orlando St. *Bolt* —6D **22**
(in two parts)
Ormond St. *Bolt* —6H **23**
Ormrod St. *Bolt* —5C **22**
Ormrod St. *Brad* —5G **13**
Ormrod St. *Farn* —4G **31**
Ormside Clo. *Hind I* —3D **34**
Ormskirk Clo. *Bury* —3H **25**
Ormston Av. *Hor* —4D **8**
Ormstons La. *Hor* —3F **9**
Ornatus St. *Bolt* —4D **12**
Orwell St. *Bolt* —1H **21**
Osborne Gro. *Bolt* —2A **22**
Osborne Wlk. *Rad* —2G **33**
Osbourne Clo. *Farn* —4H **31**
Oscar St. *Bolt* —1A **22**
Oscott Av. *L Hul* —1E **39**
Osmund Av. *Bolt* —4H **23**
Osprey Av. *W'houg* —1E **35**
Oswald St. *Bolt* —1A **30**
(in two parts)
Oswestry Clo. *G'mnt* —1H **15**
Otterbury Clo. *Bury* —1H **25**
Oulton St. *Bolt* —4E **13**
Outterside St. *Adl* —3E **7**

Outwood Av. *Clif* —3F **41**
Outwood Gro. *Bolt* —4C **12**
Overdale Dri. *Bolt* —4G **21**
Overdene Clo. *Los* —5B **20**
Evergreen. *Bolt* —6A **14**
Overhouses. *Tur* —1F **3**
Overton La. *Bolt* —4D **20**
Owenington Gro. *L Hul* —1E **39**
Owlerbarrow Rd. *Bury* —6H **15**
Owlwood Clo. *L Hul* —4C **38**
Owlwood Dri. *L Hul* —4C **38**
Oxford Clo. *Farn* —5D **30**
Oxford Gro. *Bolt* —2A **22**
Oxford Rd. *Ath* —2B **36**
Oxford Rd. *L Lev* —2B **32**
Oxford Rd. *Los* —3H **19**
Oxford St. *Adl* —3E **7**
Oxford St. *Bolt* —4D **22**
Oxford St. *Hind* —6B **26**
Ox Ga. *Bolt* —4H **13**
Ox Hey Clo. *Los* —3G **19**
Ox Hey La. *Los* —3G **19**
Oxlea Gro. *W'houg* —6G **27**

Packer St. *Bolt* —1A **22**
Padbury Way. *Bolt* —1H **23**
Paddock Clo. *Ath* —2E **37**
Paderborn Ct. *Bolt* —5C **22**
Pailton Clo. *Los* —5D **20**
Paiton St. *Bolt* —4A **22**
Palace St. *Bolt* —3D **22**
Palatine St. *Bolt* —4D **22**
Paley St. *Bolt* —4D **22**
Palin St. *Hind* —4D **34**
Palmer Gro. *Leigh* —6G **35**
Palm St. *Bolt* —6C **12**
Pansy Rd. *Farn* —5E **31**
Panton St. *Hor* —2F **19**
Paper Mill Rd. *Brom X* —2E **13**
Paris St. *Bolt* —1H **29**
Park Av. *Bolt* —5C **12**
Park Bank. *Ath* —1F **37**
Park Cotts. *Bolt* —4B **12**
Parkdale Rd. *Bolt* —2G **23**
Parkdene Clo. *Bolt* —5H **13**
Park Edge. *W'houg* —6A **28**
Parkfield Av. *Farn* —6F **31**
Parkfield Dri. *Tyl* —6B **38**
Parkfield Rd. *Bolt* —2D **30**
Parkgate. *Wals* —4G **15**
Parkgate Dri. *Bolt* —4D **12**
Park Gro. *Rad* —1H **33**
Park Gro. *Wor* —6H **39**
Park Hill St. *Bolt* —3B **22**
Park Ho. *Tyl* —6F **37**
Parkinson St. *Bolt* —6A **22**
Parklands Dri. *Asp* —5G **17**
Park La. *Hor* —4F **9**
Park Meadow. *W'houg* —5A **28**
Park Rd. *Adl* —3D **6**
Park Rd. *Bolt* —4A **22**
Park Rd. *Hind* —3A **34**
Park Rd. *L Lev* —1B **32**
Park Rd. *Ram* —4H **5**
Park Rd. *Tur* —2A **4**
Park Rd. *W'houg* —5H **27**
Park Rd. *Wor* —6G **39**
Park Row. *Bolt* —3D **12**
Parkside. *Hind* —1A **34**
Parkside Av. *Wor* —6H **39**
Parkside St. *Bolt* —2G **23**
Parks Nook. *Farn* —6G **31**
Parkstone Clo. *Bury* —1H **25**
Park St. *Ath* —3E **37**
Park St. *Bolt* —3B **22**
Park St. *Farn* —4H **31**
Park St. *Tyl* —6G **37**
Park Ter. *Bolt* —3D **12**
Park Ter. *W'houg* —4H **27**
Park View. *Bolt* —3D **12**
(in two parts)
Park View. *Farn* —4H **31**
Park View. *Kear* —6B **32**
Park View Ho. *Ath* —4C **36**
Park View Rd. *Bolt* —1A **30**
Park Way. *L Hul* —3C **38**
(in two parts)
Parkway. *W'houg* —1F **35**

Parkway Gro. *L Hul* —3C **38**
Parkwood. *Eger* —5B **2**
Parkwood Dri. *Bolt* —6F **29**
Parnham Rd. *Rad* —6D **24**
Parr Clo. *Farn* —5F **31**
Parr Fold Av. *Wor* —6G **39**
Parrot St. *Bolt* —6C **22**
Parr St. *Tyl* —6D **37**
Parsonage Dri. *Wor* —5G **39**
Parsonage Rd. *Rad* —6E **33**
Parsonage Rd. *Wor* —5G **39**
Partington Ct. *Farn* —4G **31**
Partington St. *Bolt* —3A **30**
Part St. *W'houg* —3G **27**
Patchett St. *Tyl* —6G **37**
Paton Av. *Bolt* —2E **31**
Paton M. *Bolt* —2E **31**
Patricia Dri. *Wor* —5A **40**
Patterdale Rd. *Bolt* —5B **14**
Patterson St. *Bolt* —1G **29**
Patterson St. *W'houg* —6D **26**
Paulette St. *Bolt* —1C **22**
Paulhan St. *Bolt* —2B **30**
Pauline St. *Ince* —6D **34**
Pavilion Wlk. *Bolt* —1H **33**
Paxton Pl. *Farn* —5H **31**
Peabody St. *Bolt* —1C **30**
Peace St. *Ath* —4E **37**
Peace St. *Bolt* —6B **22**
Peak Av. *Ath* —2C **36**
Peak St. *Bolt* —1B **22**
Pearl Brook Ind. Est. *Hor* —6D **8**
Pear Tree Gro. *Tyl* —6B **38**
Peatfield Av. *Wdly* —5F **41**
Pedder St. *Bolt* —2A **22**
Peel Clo. *Ath* —4E **37**
Peel Dri. *L Hul* —3D **38**
Peel La. *Wor* —4D **38**
Peel M. *Ram* —3H **5**
Peel Pk. Cres. *L Hul* —3D **38**
Peel St. *Adl* —1F **7**
Peel St. *Farn* —5A **32**
Peel St. *W'houg* —4G **27**
Peel Ter. *W'houg* —3G **27**
Peel View. *Tot* —3H **15**
Peelwood Av. *L Hul* —2E **39**
Peelwood Gro. *L Hul* —5E **37**
Peers Dri. *Tot* —4H **15**
Pegamoid St. *Bolt* —2F **23**
Pelham St. *Bolt* —2A **30**
Pelton Av. *Wdly* —5E **41**
Pemberlei Rd. *Asp* —3A **26**
Pemberton St. *Bolt* —5C **12**
Pemberton St. *L Hul* —3F **39**
Pembroke Clo. *Hor* —5C **8**
Pembroke Rd. *Hind* —4E **35**
Pembroke St. *Bolt* —3B **22**
Penarth Rd. *Bolt* —1H **29**
Penbury Rd. *Wig* —6A **16**
Pendennis Av. *Los* —6D **20**
Pendennis Clo. *Rad* —6E **25**
Pendennis Cres. *Hind* —4C **34**
Pendle Av. *Bolt* —3C **12**
Pendlebury Fold. *Bolt* —3D **28**
Pendlebury Rd. *Swint* —6H **41**
Pendlebury Rd. *Haig* —5A **16**
Pendlebury St. *Bolt* —6D **12**
Pendlebury St. *Rad* —2H **33**
Pendle Ct. *Bolt* —6B **12**
Pendle Dri. *Hor* —4E **9**
Pengarth Rd. *Hor* —5E **9**
Pengwern Av. *Bolt* —1H **29**
Pennine Clo. *Hor* —4E **9**
Pennine Rd. *Hor* —4E **9**
Pennington Clo. *Asp* —4A **26**
Pennington Clo. *L Hul* —3C **38**
Pennington Grn. La. *Asp* —3A **26**
Pennington La. *Haig* —3C **16**
Pennington Rd. *Bolt* —2D **30**
Pennington St. *Hind* —1A **34**
Pennington St. *Wals* —5G **15**
Pennington St. *Wor* —5A **40**
Penn St. *Farn* —5G **31**
Penn St. *Hor* —6E **9**
Penrhyn Gro. *Ath* —2C **36**
Penrice Clo. *Rad* —6F **25**
Penrith Av. *Bolt* —2G **21**
Penrith Av. *Wor* —5B **40**
Penrose St. *Bolt* —4G **23**

Pensford Ct. *Bolt* —3A **14**
Pentland Ter. *Bolt* —2C **22**
Percy St. *Bolt* —1D **22**
Percy St. *Farn* —6A **32**
Perth St. *Bolt* —2H **29**
(in two parts)
Peterborough Dri. *Bolt* —2D **22**
Peterborough Wlk. *Bolt* —2C **22**
(off Charnock Dri.)
Peterhead Clo. *Bolt* —2B **22**
Petersfield Wlk. *Bolt* —2C **22**
Peter St. *Tyl* —6F **37**
Peter St. *W'houg* —6C **26**
Petunia Wlk. *Wor* —4D **38**
(off Madams Wood Rd.)
Peveril St. *Bolt* —2H **29**
Pewfist Grn. *W'houg* —1G **35**
Pewfist Spinney, The. *W'houg*
—6F **27**
Pewfist, The. *W'houg* —6F **27**
Phethean St. *Bolt* —4E **23**
Phethean St. *Farn* —4G **31**
Philips Av. *Farn* —6H **31**
Philip St. *Bolt* —6B **22**
Phillips St. *Leigh* —6G **35**
Phipps St. *Wor* —3G **39**
Phoebe St. *Bolt* —1A **30**
Phoenix St. *Bolt* —3E **23**
Phoenix St. *Farn* —6H **31**
Phoenix Way. *Rad* —3H **33**
Pickering Clo. *Rad* —5C **32**
Pickford Av. *L Lev* —2E **33**
Pickley Grn. *Leigh* —6G **35**
Piggott St. *Farn* —6G **31**
Pike Av. *Ath* —5A **36**
Pike Mill Est. *Bolt* —1C **30**
Pike Rd. *Bolt* —1B **30**
Pike View. *Hor* —5F **9**
Pilkington Rd. *Kear* —1B **40**
Pilkington Rd. *Rad* —6H **25**
Pilkington St. *Bolt* —6C **22**
Pilkington St. *Hind* —1A **34**
Pilling Field. *Eger* —6C **2**
Pilning St. *Bolt* —1E **31**
Pilot Ind. Est. *Bolt* —1F **31**
Pimlott Rd. *Bolt* —6F **13**
Pincroft La. *Blac* —3E **7**
Pine Gro. *Farn* —5F **31**
Pine Gro. *W'houg* —6G **27**
Pine Meadows. *Rad* —1D **40**
Pine St. *Bolt* —1D **22**
Pine St. *Tyl* —6G **37**
Pinewood Clo. *Bolt* —1C **22**
Pinfold Clo. *W'houg* —2F **35**
(in two parts)
Pinfold Rd. *Wor* —6G **39**
Pinnacle Dri. *Eger* —5B **2**
Pioneer St. *Hor* —5E **9**
Pitcombe Clo. *Bolt* —2B **12**
Pitfield La. *Bolt* —5B **14**
Pitfield St. *Bolt* —4F **23**
Pitt St. *Rad* —2G **33**
Pixmore Av. *Bolt* —5F **13**
Plantation Av. *Wor* —3G **39**
Plantation Rd. *Tur* —4B **4**
Platt Hill Av. *Bolt* —1G **29**
Platt La. *Stand* —6A **6**
Platt La. *W'houg* —5B **28**
Play Fair St. *Bolt* —3D **12**
Pleasant Gdns. *Bolt* —3C **22**
Pleasant St. *Wals* —5H **15**
Pleasington Dri. *Bury* —1G **25**
Plevna St. *Bolt* —4E **23**
Plodder La. *Bolt & Farn* —4G **29**
Plodder La. *Farn* —5D **30**
Ploughfields. *W'houg* —2G **27**
Plowden Clo. *Bolt* —2A **30**
Plymouth Dri. *Farn* —5D **30**
Plymouth Gro. *Rad* —6F **25**
Pocket Nook Rd. *Los* —2B **28**
Pocket Workshops, The. *Bolt*
—5A **22**
Polegate Dri. *Leigh* —5E **35**
Pole St. *Bolt* —2F **23**
Pollard Ho. *Bolt* —3H **29**
Pondwater Clo. *Wor* —4E **39**
Pool Field Clo. *Rad* —2F **33**
Pool Fold Clo. *Bolt* —1G **21**
Pool Grn. *Blac* —1H **17**

Pool Pl. *Bolt* —1G **21**
(off Church Rd.)
Pool St. *Bolt* —3C **22**
(in two parts)
Pool St. *Hind* —3A **34**
Pool Ter. *Bolt* —1G **21**
Poplar Av. *Bolt* —5D **12**
Poplar Av. *Brad* —3G **13**
Poplar Av. *Hor* —2G **19**
Poplar Gro. *Hind* —4D **34**
Poplar Gro. *W'houg* —5G **27**
Poplar Rd. *Wor* —5A **40**
Poplars, The. *Adl* —3D **6**
Poplar St. *Tyl* —6F **37**
Porchester Dri. *Rad* —6E **25**
Portland Rd. *Wor* —2G **39**
Portland St. *Bolt* —1C **22**
Portland St. *Farn* —3H **31**
Portugal St. *Bolt* —4F **23**
Poulton Av. *Bolt* —4A **24**
Powys St. *Ath* —6E **37**
Preesall Clo. *Bury* —3H **25**
Prenton Way. *Wals* —4H **15**
Presall St. *Bolt* —3G **23**
Presbyterian Fold. *Hind* —1A **34**
Prescot St. *Ast* —6B **38**
Prescot Av. *Ath* —2E **37**
Prescott St. *Bolt* —1A **30**
Prescott St. *Wor* —4F **39**
Prestbury Rd. *Bolt* —4E **13**
Presto Gdns. *Bolt* —1H **29**
Prestolee Rd. *Bolt* —4C **32**
Prestolee Rd. *Rad* —4C **32**
Preston St. *Bolt* —1F **31**
(Bolton)
Preston St. *Bolt* —1H **29**
(Willows)
Presto St. *Farn* —4A **32**
Prestwich St. *Ath* —3B **36**
Prestwood Clo. *Bolt* —2B **22**
Prestwood Dri. *Bolt* —2B **22**
Prestwood Rd. *Farn* —4E **31**
Pretoria Rd. *Bolt* —4A **24**
Price St. *Farn* —4H **31**
Priestley Rd. *Wor* —6F **41**
Primrose Av. *Farn* —4E **31**
Primrose Av. *Wor* —5F **39**
Primrose Bank. *Tot* —2G **15**
Primrose Bank. *Wor* —5F **39**
Primrose Clo. *Bolt* —5C **14**
Primrose St. *Bolt* —5D **12**
Primrose St. *Kear* —6A **32**
Primrose St. *Tyl* —6G **37**
Primrose St. N. *Tyl* —6G **37**
Primrose St. S. *Tyl* —6G **37**
Primula St. *Bolt* —5D **12**
Prince's Av. *L Lev* —1D **32**
Princess Av. *Ath* —2C **36**
Princess Av. *Kear* —1B **40**
Princess Gro. *Farn* —5H **31**
(in two parts)
Princess Rd. *And* —1F **7**
Princess Rd. *Los* —4B **20**
Princess St. *Bolt* —4D **22**
Princess St. *Rad* —2G **33**
Prince St. *Bolt* —3C **22**
Princethorpe Clo. *Los* —5D **20**
Printers St. *Tur* —3H **3**
Printers La. *Bolt* —3G **13**
Printshop La. *Ath* —6E **37**
(in two parts)
Priory Av. *Leigh* —6F **35**
Priory Pl. *Bolt* —1G **23**
Priory Rd. *Swint* —6G **41**
Prodesse Ct. *Hind* —1A **34**
Proffitt St. *Bolt* —5B **22**
Progress St. *Bolt* —2D **22**
Prospect Av. *Bolt* —6B **14**
Prospect Av. *Farn* —6G **31**
Prospect Cotts. *Haig* —5E **17**
Prospect Ct. *Tot* —2H **15**
Prospect Pl. *Farn* —6G **31**
Prospect St. *Bolt* —2D **22**
Prospect St. *Hind* —2A **34**
Prospect St. *Tyl* —6F **37**
Prosser Av. *Ath* —5A **36**
Providence St. *Bolt* —6D **22**
Pryce St. *Bolt* —2B **22**
Pulman Ct. *Bolt* —6E **23**

Pump St. *Hind* —2A **34**
Punch La. *Bolt* —3D **28**
(in three parts)
Punch St. *Bolt* —5B **22**
Pungle, The. *W'houg* —2F **35**
(in two parts)
Purbeck Dri. *Los* —2H **19**
Purcell Clo. *Bolt* —2B **22**
Putt St. *Swint* —5H **41**

Q

Quakerfields. *W'houg* —6F **27**
Quakers Field. *Tot* —1H **15**
Quarlton Dri. *Hawk* —4D **4**
Quarry Pond Rd. *Wor* —4D **38**
Quarry Rd. *Kear* —6C **32**
Quebec Pl. *Bolt* —6A **22**
Quebec St. *Bolt* —6B **22**
Queen's Av. *Ath* —2C **36**
Queen's Av. *Brom X* —2E **13**
Queen's Av. *L Lev* —1C **32**
Queensbrook. *Bolt* —4C **22**
Queen's Clo. *Wor* —3H **39**
Queensgate. *Bolt* —3A **22**
Queens Pk. St. *Bolt* —3B **22**
Queens Rd. *Bolt* —1H **29**
Queen St. *Bolt* —4C **22**
Queen St. *Farn* —5H **31**
Queen St. *Hind* —1A **34**
Queen St. *Hor* —6C **8**
Queen St. *L Hul* —4F **39**
Queen St. *Tot* —4H **15**
Queen St. *W'houg* —5G **27**
Queensway. *Clif* —5H **41**
Queensway. *Kear* —2B **40**
Queensway. *Wor* —6F **39**

R

Racecourse Wlk. *Rad* —1H **33**
Radcliffe Moor Rd. *Brad T & Brad F*
—5D **24**
Radcliffe Rd. *Bolt* —4E **23**
Radcliffe Rd. *L Lev* —6G **23**
Radelan Gro. *Rad* —1F **33**
Radley Clo. *Bolt* —2G **21**
Radnor Clo. *Hind* —4C **34**
Radstock Clo. *Bolt* —2C **12**
Radway. *Tyl* —6A **38**
Raglan St. *Bolt* —1B **22**
Raikesclough Ind. Est. *Bolt* —1F **31**
Raikes La. *Bolt* —1F **31**
(in two parts)
Raikes Rd. *Bolt* —6H **23**
Raikes Way. *Bolt* —6H **23**
Railway Rd. *Adl & Brins* —2E **7**
Railway St. *Ath* —3B **36**
Railway St. *Farn* —4A **32**
Railway St. *Hind* —6A **26**
Railway View. *Adl* —2E **7**
Raimond St. *Bolt* —6A **12**
Rainbow Dri. *Ath* —2D **36**
Rainford Ho. *Bolt* —3D **22**
(off Beta St.)
Rainford St. *Bolt* —3G **13**
Rainham Dri. *Bolt* —2C **22**
Rainham Gro. *Bolt* —2C **22**
(off Rainham Dri.)
Rainshaw St. *Bolt* —5D **12**
Rake La. *Clif* —4H **41**
Ralph St. *Bolt* —1B **22**
Ramsay Av. *Farn* —6E **31**
Ramsay St. *Bolt* —5C **12**
Ramsbottom Rd. *Hor* —6E **9**
Ramsbottom Rd. *Tur & Hawk*
—5B **4**
Ramsden Fold. *Clif* —5H **41**
Ramsey Clo. *Ath* —5E **37**
Ram St. *L Hul* —4D **38**
Ramwell Gdns. *Bolt* —6B **22**
Ramwells Brow. *Brom X* —1D **12**
Ramwells Ct. *Brom X* —1F **13**
Ramwells M. *Brom X* —1F **13**
Randal St. *Bolt* —1A **30**
Randle St. *Hind* —6A **26**
Randolph Rd. *Kear* —6B **32**
Randolph St. *Bolt* —5A **22**
Range St. *Bolt* —1B **30**
Ranicar St. *Hind* —4E **35**
Rankine Ter. *Bolt* —5B **22**

Rannoch Rd. *Bolt* —4B **24**
Ranworth Clo. *Bolt* —3E **13**
Raphael St. *Bolt* —1B **22**
Rasbottom St. *Bolt* —6C **22**
Ratcliffe Rd. *Asp* —5G **17**
Ratcliffe St. *Tyl* —6H **37**
Raveden Clo. *Bolt* —6A **12**
Ravenfield Gro. *Bolt* —3B **22**
Ravenhurst Dri. *Bolt* —5D **20**
Raven Rd. *Bolt* —1G **29**
Ravenscar Wlk. *Farn* —6H **31**
Ravenscraig Rd. *L Hul* —1F **39**
Ravensdale Rd. *Bolt* —4D **20**
Ravens Wood. *Bolt* —4E **21**
Ravenswood Dri. *Bolt* —3E **21**
Ravenswood Dri. *Hind* —6A **26**
Rawcliffe Av. *Bolt* —4B **24**
Rawlinson St. *Hor* —5D **8**
Rawlyn Rd. *Bolt* —1G **21**
Rawson Av. *Farn* —4A **32**
Rawson Rd. *Bolt* —2A **22**
Rawson St. *Farn* —4H **31**
Rawsthorne St. *Bolt* —1C **22**
Rawsthorne St. *Tyl* —6B **38**
Rayden Cres. *W'houg* —1G **35**
Raymond Av. *Pen* —6H **41**
Rayner Av. *Hind* —5A **34**
Reach, The. *Wor* —5A **40**
Recreation St. *Bolt* —1C **30**
Recreation St. *Brad* —4A **14**
Rectory Gdns. *W'houg* —2G **35**
Rectory La. *Stand* —2A **16**
Red Bank Rd. *Rad* —6H **25**
Red Bri. *Bolt* —2C **24**
Redbrook Clo. *Farn* —4A **32**
Redcar Rd. *Bolt* —5H **11**
Redcar Rd. *L Lev* —2C **32**
Reddish Clo. *Bolt* —3A **14**
Redhill Gro. *Bolt* —2C **22**
Redisher Clo. *Ram* —4H **5**
Redisher La. *Hawk* —4G **5**
Red La. *Bolt* —2C **24**
Red Rock Brow. *Wig* —3A **16**
Red Rock La. *Haig* —3A **16**
Red Rock La. *Rad* —1F **41**
Red Rose Gdns. *Wor* —3E **39**
Redshaw Av. *Bolt* —3F **13**
Redstock Clo. *W'houg* —4A **28**
Red St. *Ath* —4E **37**
Redwing Rd. *G'mnt* —5H **5**
Redwood. *W'houg* —1F **35**
Reedbank. *Rad* —5H **33**
Reedham Clo. *Bolt* —3A **22**
Reedmace Clo. *Wor* —6A **40**
Regaby Gro. *Hind* —2C **34**
Regan St. *Bolt* —6B **12**
Regent Av. *L Hul* —3G **39**
Regent Dri. *Los* —4B **20**
Regent Rd. *Los* —5B **20**
Regent St. *Ath* —5E **37**
Regent Wlk. *Farn* —5H **31**
Reginald St. *Bolt* —3G **29**
Reginald St. *Swint* —6F **41**
Renfrew Clo. *Bolt* —2F **29**
Renfrew Dri. *Bolt* —2F **29**
Renfrew Rd. *Asp* —6H **17**
Renwick Gro. *Bolt* —2A **30**
Reservoir St. *Asp* —2B **26**
Restormel Av. *Asp* —6H **17**
Reynolds Clo. *Bolt* —1F **37**
Reynolds Dri. *Bolt* —6F **29**
Rhine Clo. *Tot* —2H **15**
Rhode St. *Tot* —3H **15**
Rhosleigh Av. *Bolt* —5B **12**
Ribble Av. *Bolt* —4A **24**
Ribble Dri. *Kear* —2C **40**
Ribblesdale Rd. *Bolt* —1B **30**
Ribbleton Clo. *Bury* —2H **25**
Ribchester Gro. *Bolt* —2A **24**
Richard Gwyn Clo. *W'houg* —1F **35**
Richard St. *Rad* —2H **33**
Richelieu St. *Bolt* —1E **31**
Richmond Clo. *Stand* —4H **15**
Richmond Clo. *Tot* —3H **15**
Richmond Gdns. *Bolt* —2F **31**
Richmond Gro. *Farn* —4E **31**
Richmond Ho. *Tyl* —6F **37**
Richmond Rd. *Hind* —4C **34**
Richmond St. *Ath* —4C **36**

Richmond St. *Hor* —6D **8**
Richmond Wlk. *Rad* —5H **25**
Ridge Av. *Stand* —4A **16**
Ridgeway Gates. *Bolt* —4D **22**
Ridgmont Clo. *Hor* —6H **9**
Ridgmont Dri. *Hor* —6H **9**
Ridgway. *Blac* —1G **17**
Riding Ga. *Bolt* —3A **14**
Riding Ga. M. *Bolt* —3A **14**
Ridyard St. *L Hul* —3F **39**
Riefield. *Bolt* —1H **21**
Rigby Av. *Blac* —1G **17**
Rigby Ct. *Bolt* —1D **30**
(in two parts)
Rigby Gro. *L Hul* —3C **38**
Rigby La. *Bolt* —3G **13**
Rigby St. *Bolt* —1D **30**
Rigby St. *Hind* —1A **34**
Riley Ct. *Bolt* —2D **22**
Riley La.· *Haig* —3F **17**
Riley St. *Ath* —6A **36**
Rimsdale Wlk. *Bolt* —6E **21**
(in two parts)
Ringley Gro. *Bolt* —4C **12**
Ringley Meadows. *Rad* —6E **33**
Ringley Old Brow. *Rad* —6E **33**
Ringley Rd. *Rad* —5D **32**
(in three parts)
Ringley Rd. W. *Rad & W'fld*
—5G **33**
Ringwood Av. *Ram* —3H **5**
Ripley St. *Bolt* —5F **13**
Ripon Av. *Bolt* —2F **21**
Ripon Clo. *L Lev* —2B **32**
Ripon Dri. *Bolt* —2F **21**
Rishton Av. *Bolt* —3D **30**
Rishton La. *Bolt* —1D **30**
Riverbank, The. *Rad* —5C **32**
Riverside Dri. *Rad* —5D **32**
Riversleigh Clo. *Bolt* —6F **11**
Riversmeade. *Brom X* —2G **13**
River St. *Bolt* —4E **23**
Riverview Wlk. *Bolt* —5B **22**
(off Bridgewater St.)
Rivington Av. *Adl* —2F **7**
Rivington Dri. *Bick* —6B **34**
Rivington Dri. *Bury* —2H **25**
Rivington Ho. *Hor* —5D **8**
Rivington La. *And* —3H **7**
Rivington La. *Hor* —1B **8**
Rivington St. *Ath* —5A **36**
Rivington St. *Blac* —1H **17**
Rix St. *Bolt* —1C **22**
Rixton Dri. *Tyl* —6H **37**
Roading Brook Rd. *Bolt* —6D **13**
Robertson St. *Rad* —1H **33**
Robert St. *Ath* —6E **37**
Robert St. *Bolt* —4A **14**
Robert St. *Farn* —5A **32**
Robert St. *Rad* —1H **33**
Robin Clo. *Farn* —6D **30**
Robinson St. *Hor* —5D **8**
Robinson St. *Tyl* —6G **37**
Rochester Av. *Bolt* —2A **24**
Rochester Av. *Wor* —6G **39**
Rock Av. *Bolt* —1A **22**
Rock Fold. *Eger* —6D **2**
Rockhaven Av. *Hor* —5E **9**
Rock St. *Hor* —6D **8**
Rock Ter. *Eger* —6D **2**
Rodgers Clo. *W'houg* —1G **35**
Rodgers Way. *W'houg* —1G **35**
Rodmell Clo. *Brom X* —2D **12**
Rodney St. *Ath* —5C **36**
Roebuck St. *Hind* —4E **35**
Rogerstead. *Bolt* —5A **22**
Roland St. *Bolt* —1A **30**
Roman St. *Rad* —2G **33**
Romer St. *Bolt* —4G **23**
Romford Pl. *Hind* —2A **34**
Romford St. *Hind* —2A **34**
Romiley Cres. *Bolt* —3H **23**
Romiley Dri. *Bolt* —3H **23**
(Breightmet)
Romiley Dri. *Bolt* —4E **23**
(Mill Hill)
Romney Rd. *Bolt* —1E **21**
Romsley Dri. *Bolt* —2A **30**
Roocroft Ct. *Bolt* —2B **22**

Roocroft Sq. *Blac* —1G **17**
Roosevelt Rd. *Kear* —6B **32**
Rosamond St. *Bolt* —1A **30**
Roscoe Ct. *W'houg* —6H **27**
Roscoe Lowe Brow. *Grim V* —2H **7**
Roscow Av. *Bolt* —3A **24**
Roscow Rd. *Kear* —6C **32**
Roseacre Clo. *Bolt* —3G **23**
Rose Av. *Farn* —4G **31**
Rose Bank. *Los* —4C **20**
Rosebank Clo. *Ain* —2E **25**
Roseberry St. *Bolt* —1A **30**
Rosebery St. *W'houg* —5H **27**
Rosedale Av. *Ath* —4C **36**
Rosedale Av. *Bolt* —4C **12**
Rose Gro. *Bury* —1H **25**
Rose Gro. *Kear* —6B **32**
Rose Hill. *Bolt* —6E **23**
Rose Hill Clo. *Brom X* —2E **13**
Rose Hill Dri. *Brom X* —2E **13**
Rosehill M. *Pen* —5H **41**
Rosehill Rd. *Pen* —5H **41**
Rose Hill Ter. *Ath* —4D **36**
Rose Lea. *Bolt* —5A **14**
Rosemary La. *Bolt* —2G **37**
Roseneath Gro. *Bolt* —3B **30**
Roseneath Rd. *Bolt* —2B **30**
Rose St. *Hind* —2A **34**
Rosewood. *W'houg* —1E **35**
Roslin Gdns. *Bolt* —6A **12**
Rossall Clo. *Bolt* —3G **23**
Rossall Rd. *Bolt* —3G **23**
(in two parts)
Rossall St. *Bolt* —3G **23**
Ross Dri. *Clif* —3G **41**
Rossini St. *Bolt* —6B **12**
Ross St. *Bolt* —2C **22**
Rostherne Gdns. *Bolt* —1H **29**
Rothay Clo. *Bolt* —2B **24**
Rothbury Clo. *Bury* —1H **25**
Rothbury Ct. *Bolt* —2H **29**
Rotherhead Clo. *Hor* —1B **18**
Rothesay Rd. *Bolt* —2H **29**
Rothwell La. *L Hul* —1C **38**
Rothwell La. *L Hul* —2C **38**
Rothwell Rd. *And* —2F **7**
Rothwell St. *Bolt* —6C **22**
Rothwell St. *Wor* —4B **40**
Roundthorne La. *W'houg* —6G **27**
Rowan Av. *Hor* —2G **19**
Rowans, The. *Bolt* —4E **21**
Rowena St. *Bolt* —3G **31**
Rowe St. *Tyl* —6H **37**
Rowland St. *Ath* —4D **36**
(in two parts)
Rowsley Av. *Bolt* —2G **21**
Rowton Rise. *Stand* —3A **16**
Rowton St. *Bolt* —6F **13**
Roxalina St. *Bolt* —1C **30**
Roxby Clo. *Wor* —4F **39**
Roxton Clo. *Hor* —2E **8**
Royds St. *Tot* —2H **15**
Royds St. S. *Tot* —2H **15**
Royland Av. *Bolt* —2E **31**
Royland Ct. *Bolt* —2E **31**
Royle St. *Wor* —5H **39**
Roynton Rd. *Hor* —3D **8**
Royston Av. *Bolt* —3F **23**
Royston Clo. *G'mnt* —6H **5**
Roy St. *Bolt* —1H **29**
Ruabon Cres. *Hind* —3B **34**
Ruby St. *Bolt* —6D **12**
Rudford Gdns. *Bolt* —1D **30**
Rudolph St. *Bolt* —2D **30**
Rufford Clo. *Bolt* —3B **30**
Rufford Gro. *Bolt* —3B **30**
Ruins La. *Bolt* —5A **14**
Rumworth Rd. *Los* —5C **20**
Rumworth St. *Bolt* —1B **30**
Runnymede Ct. *Bolt* —6B **22**
Rupert St. *Bolt* —2D **30**
Rush Acre Clo. *Rad* —2G **33**
Rushey Field. *Brom X* —1D **12**
Rushey Fold Ct. *Bolt* —1B **22**
Rushey Fold La. *Bolt* —1B **22**
Rushford Gro. *Bolt* —5D **12**
Rushlake Clo. *Bolt* —2C **22**
Rushton Rd. *Bolt* —2H **21**
Rushton St. *Wor* —5H **39**

Ruskin Av. *Kear* —6B **32**
Ruskin Rd. *L Lev* —1D **32**
Rusland Dri. *Bolt* —1A **24**
Russell Clo. *Bolt* —3A **22**
Russell Ct. *Farn* —5A **32**
Russell Ct. *L Hul* —4G **39**
Russell St. *Ath* —3B **36**
Russell St. *Bolt* —3B **22**
Russell St. *Farn* —5A **32**
Russell St. *Hind* —5E **35**
Russell St. *L Hul* —4G **39**
Rutherford Dri. *Bolt* —6F **29**
Rutherglen Dri. *Bolt* —5F **21**
Ruth St. *Bolt* —3C **22**
Rutland Av. *Ath* —2F **37**
Rutland Av. *Pen* —5H **41**
Rutland Clo. *L Lev* —1D **32**
Rutland Gro. *Bolt* —2A **22**
Rutland Gro. *Farn* —6G **31**
Rutland Rd. *Hind* —1B **34**
Rutland Rd. *Tyl* —5F **37**
Rutland Rd. *Wor* —6G **39**
Rutland St. *Bolt* —1B **30**
Rutland St. *Swint* —6G **41**
Rydal Av. *Hind* —2A **34**
Rydal Clo. *Blac* —6G **7**
Rydal Cres. *Wor* —6A **40**
Rydal Gro. *Farn* —6D **30**
Rydal Rd. *Bolt* —2G **21**
Rydal Rd. *L Lev* —2C **32**
Ryder St. *Bolt* —1A **22**
Ryde St. *Bolt* —1G **29**
Rydley St. *Bolt* —5F **23**
Ryeburn Dri. *Bolt* —4F **13**
Ryecroft Av. *Tot* —3H **15**
Ryecroft Dri. *W'houg* —1F **27**
Ryefield St. *Bolt* —2H **29**
Rye Hill. *W'houg* —5H **27**
Ryelands. *W'houg* —5H **27**
Ryelands Ct. *W'houg* —5H **27**
(off Ryelands)
Ryley Av. *Bolt* —6H **21**
Ryley St. *Bolt* —5A **22**

Sabden Rd. *Bolt* —1E **21**
Sackville St. *Bolt* —4G **23**
Saddle St. *Bolt* —1F **23**
Sadler St. *Bolt* —1E **31**
St Aidans Clo. *Rad* —4H **33**
St Andrew's Ct. *Bolt* —4D **22**
(off Chancery La.)
St Andrew's Cres. *Hind* —2A **34**
St Andrews Rd. *Los* —4A **20**
St Andrew's Rd. *Rad* —5H **25**
St Andrew's St. *Rad* —5H **25**
St Andrews View. *Rad* —5H **25**
St Anne's Av. *Ath* —6E **37**
St Annes Rd. *Hor* —5E **9**
St Ann St. *Bolt* —2C **22**
St Aubin's Rd. *Bolt* —5F **23**
St Augustine St. *Bolt* —1B **22**
St Austell Dri. *G'mnt* —5H **5**
St Bartholomew St. *Bolt* —1E **31**
St Bedes Av. *Bolt* —3H **29**
St Bees Rd. *Bolt* —1G **23**
St Brides Clo. *Hor* —5C **8**
St Clair Rd. *G'mnt* —4H **5**
St David's Cres. *Asp* —6F **17**
St Dominic's M. *Bolt* —2A **30**
St Edmund St. *Bolt* —4C **22**
St Edmund's Wlk. *L Hul* —3F **39**
St Elizabeth's Rd. *Asp* —5F **17**
St Ethelbert's Av. *Bolt* —6H **21**
St Georges Av. *W'houg* —1G **35**
St George's Ct. *Bolt* —3C **22**
St George's Cres. *Wor* —5H **39**
St George's Pl. *Ath* —3B **36**
St George's Rd. *Bolt* —3C **22**
St Georges Sq. *Bolt* —3C **22**
(off All Saints St.)
St George's St. *Bolt* —3D **22**
St George's St. *Tyl* —6F **37**
St Germain St. *Farn* —5G **31**
St Gregorys Clo. *Farn* —6G **31**
St Helena Rd. *Bolt* —4C **22**
(in two parts)
St Helens Rd. *Bolt* —4G **29**
St Helier St. *Bolt* —1B **30**

St James Av. *Bolt* —3A **24**
St James Cres. *Bick* —6B **34**
St James St. *Farn* —6F **31**
St James St. *W'houg* —2H **35**
St John's Av. *W'houg* —2F **27**
St John's Rd. *Asp* —6F **17**
St John's Rd. *Los* —2B **28**
St John's St. *Farn* —5A **32**
St John St. *Ath* —4D **36**
St John St. *Hor* —6D **8**
St John St. *Wor* —3G **39**
St Johns Wood. *Los* —1C **28**
St Joseph St. *Bolt* —1B **22**
St Katherine's Dri. *Blac* —6G **7**
St Kilda Av. *Kear* —1B **40**
St Leonard's Av. *Los* —2H **19**
St Lukes Ct. *Bolt* —3A **22**
St Margarets Clo. *Bolt* —3H **21**
St Margaret's Rd. *Bolt* —3H **21**
St Marks Cres. *Wor* —6H **39**
St Mark's St. *Bolt* —6D **22**
St Mark's View. *Bolt* —6D **22**
St Mark's Wlk. *Bolt* —1C **30**
St Mary's Av. *Bolt* —6H **21**
St Mary's Clo. *Asp* —6F **17**
St Mary's Clo. *Ath* —5E **37**
St Mary's Rd. *Asp* —5F **17**
St Mary's Rd. *Wor* —2G **39**
St Matthews Grange. *Bolt* —2C **22**
St Matthews Ter. *Bolt* —2C **22**
(off St Matthews Wlk.)
St Matthews Wlk. *Bolt* —2C **22**
(in two parts)
St Maws Ct. *Rad* —6E **25**
St Michael's Av. *Ath* —6A **36**
St Michael's Av. *Bolt* —3F **31**
St Michael's Clo. *Bury* —3H **25**
St Osmund's Dri. *Bolt* —4A **24**
St Osmund's Gro. *Bolt* —4A **24**
St Paul's Clo. *Adl* —1E **7**
St Pauls Clo. *Rad* —4H **33**
St Paul's Ct. *Wor* —5H **39**
St Paul's Pl. *Bolt* —6A **12**
St Paul's Rd. *Wor* —5A **40**
St Peter's Av. *Bolt* —1G **21**
St Peter's Ter. *Farn* —6H **31**
St Peter's Way. *Bolt* —2D **22**
St Philip's Av. *Bolt* —1B **30**
St Stephens Clo. *Bolt* —6G **23**
St Stephens Gdns. *Kear* —1C **40**
St Stephen's St. *Kear* —1C **40**
St Thomas St. *Bolt* —1B **22**
St William's Av. *Bolt* —2C **30**
Salcombe Av. *Bolt* —2F **25**
Salcombe Gro. *Bolt* —5C **24**
Sale La. *Tyl* —6B **38**
Salford Rd. *Bolt* —5G **29**
Salford Rd. *Wor* —6A **30**
Salisbury Av. *Hind* —1B **34**
Salisbury Rd. *Hor* —2H **19**
Salisbury Rd. *Rad* —6G **25**
Salisbury St. *Bolt* —5B **22**
Salisbury Ter. *L Lev* —2D **32**
Salop St. *Bolt* —5E **23**
Saltergate Clo. *Bolt* —1E **29**
Salters Ct. *Ath* —4D **36**
Salterton Dri. *Bolt* —3G **29**
Saltram Clo. *Rad* —2H **33**
Saltwood Gro. *Bolt* —2D **22**
Samuel St. *Ath* —6F **37**
(in two parts)
Samuel St. *L Lev* —1C **32**
Sandalwood. *W'houg* —1F **35**
Sand Banks. *Bolt* —3D **12**
Sanderling Clo. *W'houg* —1F **35**
Sandfield Dri. *Los* —5C **20**
Sandford Clo. *Bolt* —5A **14**
Sandgate Av. *Rad* —6E **33**
Sandham St. *Bolt* —1D **30**
Sandham Wlk. *Bolt* —1D **30**
Sandhill Clo. *Bolt* —1D **30**
Sand Hole Rd. *Kear* —1C **40**
Sandhurst Ct. *Bolt* —5A **24**
Sandhurst Dri. *Bolt* —5A **24**
Sandon St. *Bolt* —1B **30**
Sandown Cres. *L Lev* —3C **32**
Sandown Rd. *Bolt* —6A **14**
Sandpiper Clo. *Farn* —6D **30**
Sandray Clo. *Bolt* —6F **21**

Sandringham Clo. *Adl* —3C **6**
Sandringham Dri. *G'mnt* —6H **5**
Sandringham Rd. *Hind* —3A **34**
Sandringham Rd. *Hor* —1F **19**
Sandwich St. *Wor* —5H **39**
Sandwick Cres. *Bolt* —6B **22**
Sandwood Av. *Bolt* —5E **21**
Sandyacre Clo. *Bolt* —1G **37**
Sandybrook Clo. *Tot* —3H **15**
Sandyhills. *Bolt* —2B **6**
Sandy La. *Adl* —2B **6**
Sandy La. *Hind* —1B **34**
Sandy Pk. *Hind* —1C **34**
Sandy Way. *Hind* —1B **34**
Sapling Rd. *Bolt* —3H **29**
Sarah St. *Hind* —5D **34**
Saunton Av. *Bolt* —6B **14**
Savick Av. *Bolt* —4A **24**
Saville Rd. *Rad* —4H **25**
Saville St. *Bolt* —4E **23**
Saviours Ter. *Bolt* —6A **22**
Saw St. *Bolt* —1C **22**
Saxby Av. *Brom X* —1D **12**
Saxon St. *Rad* —2H **33**
Scaresdale Av. *Bolt* —2G **21**
Scargill Rd. *Bolt* —1G **29**
Scarthwood Clo. *Bolt* —4A **14**
Scawfell Av. *Bolt* —1F **23**
Schofield La. *Ath* —4H **35**
Scholes Bank. *Hor* —4C **8**
Scholey St. *Bolt* —6E **23**
School Hill. *Bolt* —3C **22**
School La. *Haig* —3C **16**
School St. *Ath* —5B **36**
School St. *Brom X* —2D **12**
School St. *Hor* —6E **9**
School St. *L Lev* —2D **32**
School St. *Rad* —2H **33**
School St. *Tyl* —6F **37**
School St. *W'houg* —5G **27**
Scobell St. *Tot* —4H **15**
Scope o' th' La. *Bolt* —5G **13**
Scopton St. *Bolt* —3A **22**
Scorton Av. *Bolt* —4B **24**
Scot La. *Asp & Blac* —6G **17**
Scott Av. *Hind* —1A **34**
Scott St. *Rad* —6F **33**
Scott St. *W'houg* —3G **27**
Scout Rd. *Bolt* —3G **11**
Scout View. *Tot* —3H **15**
Scowcroft St. *Bolt* —2F **23**
Seaford Rd. *Bolt* —3H **13**
Seaforth Av. *Ath* —3C **36**
Seaforth Rd. *Bolt* —4C **12**
Seaton Rd. *Bolt* —1A **22**
Second Av. *Ath* —3D **36**
Second Av. *Bolt* —4H **21**
Second Av. *L Lev* —1B **32**
Second St. *Bolt* —5F **11**
Seddon Clo. *Ath* —4C **36**
Seddon Gdns. *Rad* —5C **32**
Seddon La. *Rad* —5C **32**
Seddon St. *L Hul* —2D **38**
Seddon St. *L Lev* —2D **32**
Seddon St. *W'houg* —2G **27**
Sedgefield Dri. *Bolt* —6H **11**
Sedgefield Rd. *Rad* —5H **33**
Sedgemoor Vale. *Bolt* —1B **24**
Sedgley Dri. *W'houg* —2G **35**
Sedgwick Clo. *Ath* —4E **37**
Seedley Av. *L Hul* —3F **39**
Seed St. *Bolt* —4A **22**
Sefton Av. Ath —2C **36**
Sefton Ho. Bolt —3C **22**
(off School Hill)
Sefton La. *Hor* —3F **19**
(in two parts)
Sefton Rd. *Bolt* —1H **21**
Sefton Rd. *Pen* —6G **41**
Sefton Rd. *Rad* —4G **25**
Selbourne Clo. *W'houg* —4A **28**
Selby Wlk. *Bury* —1H **25**
Selkirk Rd. *Bolt* —4B **12**
Selwyn St. *Bolt* —5E **23**
Sennicar La. *Wig & Haigh* —6A **16**
Settle Clo. *Bury* —1H **25**
Settle St. *Bolt* —2B **30**
Settle St. *L Lev* —2E **33**

Sevenoaks Dri. *Bolt* —2C **30**
Severn Dri. *Hind* —4E **35**
Severn Way. *Kear* —1D **40**
Seymour Dri. *Bolt* —3G **13**
Seymour Gro. *Farn* —4E **31**
Seymour Rd. *Bolt* —6C **12**
Seymour St. *Bolt* —3G **13**
Shackleton Gro. *Bolt* —1E **21**
Shady La. *Brom X* —3F **13**
Shaftesbury Av. *Los* —3H **19**
Shaftesbury Clo. *Bolt* —2C **22**
Shaftesbury Clo. *Los* —3H **19**
Shakerley La. *Tyl* —3F **37**
Shakerley Rd. *Tyl* —6F **37**
Shakespeare Av. *Rad* —1G **33**
Shakespeare Rd. *Swint* —6F **41**
Shalbourne Rd. *Wor* —4G **39**
Shalfleet Clo. *Bolt* —4A **14**
Shamrock Ct. *Wor* —4F **39**
Shanklin Wlk. *Bolt* —6G **23**
Shap Cres. *Wor* —6B **40**
Shap Dri. *Wor* —5B **40**
Sharman St. *Bolt* —6F **23**
Sharnbrook Wlk. *Bolt* —2F **23**
Sharnford Clo. *Bolt* —5F **23**
Sharples Av. *Bolt* —3C **12**
Sharples Dri. *Bury* —5H **15**
Sharples Grn. *Tur* —1H **3**
Sharples Hall. *Bolt* —3D **12**
Sharples Hall Dri. *Bolt* —3D **12**
Sharples Hall Fold. *Bolt* —4D **12**
Sharples Hall M. *Bolt* —3D **12**
Sharples Meadow. *Tur* —1H **3**
Sharples Pk. *Bolt* —5B **12**
Sharples Vale. *Bolt* —6C **12**
Sharples Vale Cotts. *Bolt* —6C **12**
Sharp St. *Wor* —4A **40**
Shaving La. *Wor* —6H **39**
Shawbury Clo. *Blac* —2H **17**
Shawes Dri. *And* —2G **7**
Shaw Ho. Ath —3D **36**
(off Brooklands Av.)
Shaw Rd. *Hor* —4D **8**
Shaw St. *Bolt* —6C **22**
Shaw St. *Farn* —3G **31**
Shearwater Dri. *W'houg* —1F **35**
Shearwater Dri. *Wor* —4G **39**
Sheddings, The. *Bolt* —1E **31**
Shed St. *Bolt* —6D **22**
Sheepgate Dri. *Tot* —4G **15**
Sheep La. *Wor* —6D **38**
Shelbourne Av. *Bolt* —2H **21**
Sheldon Clo. *Farn* —3F **31**
Shelley Rd. *L Hul* —2E **39**
Shelley Wlk. *Ath* —2D **36**
Shelley Wlk. *Bolt* —2B **22**
Shepherd Cross St. *Bolt* —2A **22**
Shepherds Clo. *Blac* —6G **7**
Shepherds Clo. *G'mnt* —6H **5**
Shepherds Cross St. Ind. Est. Bolt
(off Shepherds Cross St.) —1B **22**
Shepherd's Dri. *Hor* —6A **10**
Shepherd St. *G'mnt* —1H **15**
Shepley Av. *Bolt* —6A **22**
Shepton Clo. *Bolt* —2B **12**
Sherborne Av. *Hind* —2C **34**
Sherbourne Clo. *Rad* —6F **25**
Sherbourne Rd. *Bolt* —2G **21**
Sheriffs Dri. *Ast* —6B **38**
Sheriff St. *Bolt* —2F **23**
Sheringham Pl. *Bolt* —6B **22**
Sherwood Av. *Rad* —3H **25**
Sherwood Clo. *Tot* —2H **15**
Sherwood St. *Bolt* —6D **12**
Shetland Way. *Rad* —6H **25**
Shield Dri. *Wor* —6E **41**
Shiel St. *Wor* —4H **39**
Shiffnall St. *Bolt* —5E **23**
Shillingfold La. *Farn* —5F **31**
Shillingford Rd. *Farn* —5G **31**
Shillingstone Clo. *Bolt* —6B **14**
Shillington Clo. *Wor* —4D **38**
Shilton Gdns. *Bolt* —6C **22**
Shipgates Cen. *Bolt* —4D **22**
Shipton St. *Bolt* —2H **21**
Shireburn Av. *Bolt* —3G **23**
Shoemaker Gdns. *Asp* —5G **17**
Shorefield Mt. *Eger* —1C **12**
Shoreswood. *Bolt* —4B **12**

Shorrocks St. *Bury* —6H **15**
Shrewsbury Clo. *Hind* —1B **34**
Shrewsbury Rd. *Bolt* —3H **21**
Shrub St. *Bolt* —3A **30**
Shudehill Rd. *Wor* —6E **39**
Shurdington Rd. *Ath & Bolt* —1F **37**
Shurmer St. *Bolt* —1A **30**
Shuttle St. *Hind* —1A **34**
Shuttle St. *Tyl* —6F **37**
Sicklefield. *Wig* —6A **16**
Siddall St. *Rad* —1H **33**
Sidford Clo. *Bolt* —6H **23**
Sidney St. *Bolt* —6D **22**
Siemens St. *Hor* —1E **19**
Silchester Way. *Bolt* —2A **24**
Silkhey Gro. *Wor* —6H **39**
Silk St. *W'houg* —4G **27**
Silverdale Av. *L Hul* —2E **39**
Silverdale Rd. *Bolt* —4A **22**
Silverdale Rd. *Farn* —4E **31**
Silverdale Rd. *Hind* —2B **34**
Silverton Gro. *Bolt* —5D **12**
Silverwell La. *Bolt* —4D **22**
Silverwell St. *Bolt* —4D **22**
Silverwell St. *Hor* —5D **8**
Silvester St. *Blac* —1H **17**
Simm's Sq. *Asp* —1A **26**
Simms Yd. *Asp* —1A **26**
Simonbury Clo. *Bury* —1H **25**
Simpson St. *Bolt* —2D **22**
Sindsley Ct. Swint —6F **41**
(off Moss La.)
Sindsley Gro. *Bolt* —2C **30**
Sindsley Rd. *Wdly* —5F **41**
Singleton Av. *Bolt* —4A **24**
Singleton Av. *Hor* —4E **9**
Singleton Gro. *W'houg* —5B **28**
Singleton St. *Rad* —1F **33**
Sion St. *Rad* —3H **33**
Sixth Av. *Bolt* —4H **21**
Sixth Av. *L Lev* —1B **32**
Skagen Clo. *Bolt* —2C **22**
(in two parts)
Skelton Gro. *Bolt* —3B **24**
Skelwith Av. *Bolt* —3D **30**
Skipton Av. *Hind* —3C **34**
Skipton Clo. *Bury* —1H **25**
Skipton St. *Bolt* —3G **23**
Skipton Wlk. *Bolt* —4G **23**
Slackey Brow. *Kear* —2E **41**
Slackey Fold. *Hind* —6D **34**
Slack Fold La. *Farn* —4A **30**
Slack La. *Bolt* —2H **13**
Slack La. *W'houg* —2H **27**
Slade St. *L Lev* —2C **32**
Slaidburn Av. *Bolt* —5B **24**
Slaidburn Dri. *Bury* —6G **15**
Slater Av. *Hor* —5E **9**
Slaterfield. *Bolt* —6C **22**
Slater La. *Bolt* —3E **23**
Slater's Nook. *W'houg* —4G **27**
Slater St. *Bolt* —2D **22**
Slater St. *Farn* —5H **31**
Sledmere Clo. *Bolt* —1D **22**
Slimbridge Clo. *Bolt* —2C **24**
Sloane St. *Bolt* —2H **29**
Smallbrook La. *Leigh* —4F **35**
Smeaton St. *Hor* —1E **19**
Smedley Av. *Bolt* —2E **31**
Smethurst Ct. Bolt —3H **29**
(off Smethurst La.)
Smethurst La. *Bolt* —3H **29**
Smith Brow. *Blac* —6G **7**
Smithfold La. *Wor* —3E **39**
Smithills Croft Rd. *Bolt* —6G **11**
Smithills Dean Rd. *Bolt* —3B **11**
Smithills Dri. *Bolt* —1F **21**
Smith La. *Eger* —1D **12**
Smith's La. *Hind* —6C **34**
Smith's Pl. *Ath* —4D **36**
Smith's Rd. *Bolt* —2H **31**
Smith St. *Adl* —3D **6**
Smith St. *Asp* —6G **17**
Smith St. *Ath* —4C **36**
Smith St. *Wor* —4H **39**
Smithwood Av. *Hind* —1B **34**
Smithy Croft. *Brom X* —1D **12**
Smithy Hill. *Bolt* —1G **29**
Smithy St. *W'houg* —2G **27**

Smyrna St. *Rad* —1H **33**
Snape St. *Rad* —5H **25**
(in two parts)
Snipe St. *Bolt* —6D **22**
Snowden St. *Bolt* —3C **22**
Snowdon Dri. *Hor* —4E **9**
Snow Hill Rd. *Bolt* —6H **23**
Snydale Clo. *W'houg* —3A **28**
Snydale Way. *Bolt* —4C **28**
Sofa St. *Bolt* —2H **21**
Soham Clo. *Hind* —3A **34**
Soho St. *Bolt* —5D **22**
Solent Dri. *Bolt* —6G **23**
Solway Clo. *Bolt* —2B **30**
Solway Clo. *Clif* —3G **41**
Somerdale Av. *Bolt* —3G **21**
Somersby Dri. *Brom X* —1D **12**
Somersby Wlk. Bolt —6D **22**
(off Hallington Clo.)
Somerset Av. *Tyl* —4F **37**
Somerset Rd. *Bolt* —2B **36**
Somerset Rd. *Bolt* —3H **21**
Somerton Rd. *Bolt* —5B **24**
Somerville Sq. *Bolt* —6A **12**
Somerville St. *Bolt* —6A **12**
Sonning Dri. *Bolt* —3G **29**
South Av. *Kear* —1B **40**
Southbrook Gro. *Bolt* —2D **30**
South Dri. *Bolt* —6A **14**
Southend St. *Bolt* —2A **30**
Southern Ho. Bolt —2B **22**
(off Kirk Hope Dri.)
Southern St. *Wor* —2H **39**
Southfield Dri. *W'houg* —6G **27**
Southfield Rd. *Ram* —5H **5**
Southfield St. *Bolt* —1E **31**
Southgate. *Harw* —5A **14**
South Gro. *Wor* —5G **39**
Southgrove Av. *Bolt* —3C **12**
Southlands. *Bolt* —3A **14**
Southleigh Dri. *Bolt* —5C **24**
Southmoor Wlk. Bolt —6C **22**
(off Parrot St.)
Southover. *W'houg* —1G **35**
South St. *Bolt* —2C **30**
South St. *Tyl* —6E **37**
South View. *Ath* —4G **23**
S. View St. *Bolt* —2B **30**
Southwell Clo. *Bolt* —3B **22**
Southwood Clo. *Bolt* —2D **30**
Sovereign Fold Rd. *Leigh* —6G **35**
Sowerby Clo. *Bury* —1H **25**
Spa Cres. *L Hul* —1D **38**
Spa Gro. *L Hul* —1E **39**
Spa La. *L Hul* —1E **39**
Spa Rd. *Ath* —2C **36**
Spa Rd. *Bolt* —5B **22**
Sparta Av. *Wor* —5G **39**
Spencer Av. *L Lev* —2E **33**
Spen Fold. *Bury* —3H **25**
Spenleach La. *Hawk* —3E **5**
Spenser Av. *Rad* —1G **33**
Spindle Croft. *Farn* —5H **31**
Spindle Wlk. *W'houg* —3H **27**
Spinners M. *Bolt* —3C **22**
Spinney Nook. *Bolt* —1H **23**
Spinney, The. *Bolt* —4H **21**
Spinney, The. *Tur* —5G **3**
Spinningdale. *L Hul* —1B **38**
Spinningfields. *Bolt* —3B **22**
Spinning Meadows. *Bolt* —3B **22**
Sportside Av. *Wor* —4A **40**
Sportside Clo. *Wor* —4H **39**
Sportside Gro. *Wor* —3H **39**
Spring Clo. *Tot* —3G **15**
Spring Clough Av. *Wor* —5B **40**
Spring Clough Dri. *Wor* —5B **40**
Springfield. *Bolt* —5E **23**
Springfield. *Rad* —1E **41**
Springfield Gdns. *Kear* —1C **40**
Springfield Rd. *Adl* —5H **7**
Springfield Rd. *Ath* —3E **37**
Springfield Rd. *Bolt* —2C **30**
Springfield Rd. *Farn* —4E **31**
Springfield Rd. *Kear* —1A **40**
Springfield Rd. *Ram* —5H **5**
Springfield St. *Bolt* —1E **31**
Spring Gdns. Ath —4D **36**
(off Mather St.)

Spring Gdns. *Bolt* —5A **14**
Spring Gdns. *Hor* —5D **8**
Spring Mill Clo. *Bolt* —1C **30**
Springside Av. *Wor* —4A **40**
Springside Clo. *Wor* —4A **40**
Springside Gro. *Wor* —4A **40**
Spring St. *Bolt* —6D **22**
Spring St. *Farn* —4H **31**
Spring St. *Hor* —5D **8**
Spring St. *Tot* —2G **15**
Spring St. *Wals* —5H **15**
Springvale Dri. *Tot* —2G **15**
Spring Vale St. *Tot* —3G **15**
Spring View. *L Lev* —2D **32**
Springwater Av. *Ram* —4H **5**
Springwater Clo. *Bolt* —6A **14**
Square, The. *Bolt* —2F **29**
Square, The. *Tyl* —6G **37**
Squirrel La. *Hor* —5C **8**
Stafford Rd. *Wor* —6G **39**
Stainforth Clo. *Bury* —6H **15**
Stainsbury St. *Bolt* —1A **30**
Stainton Clo. *Rad* —6H **25**
Stainton Rd. *Rad* —6G **25**
Stambourne Dri. *Bolt* —5D **12**
Stamford St. *Ath* —3E **37**
Stamford St. *Pen* —6H **41**
Stancliffe Gro. *Asp* —5G **17**
Standring Av. *Bury* —3H **25**
Stanford Clo. *Rad* —6E **33**
Stanier Pl. *Hor* —1E **19**
Stanley Clo. *W'houg* —6H **27**
Stanley Gro. *Hor* —2F **19**
Stanley La. *Asp* —4F **17**
Stanley Pk. Wlk. *Bolt* —4G **23**
Stanley Rd. *Asp* —5G **17**
Stanley Rd. *Bolt* —2H **21**
Stanley Rd. *Farn* —5C **30**
Stanley Rd. *Rad* —5G **25**
Stanley Rd. *Wor* —5H **39**
Stanley St. *Ath* —5C **36**
Stanley St. *Tyl* —6G **37**
Stanley St. S. *Bolt* —5C **22**
Stanmoor Dri. *Asp* —5H **17**
Stanmore Dri. *Bolt* —6A **22**
Stanrose Clo. *Eger* —6C **2**
Stanway Av. *Bolt* —5B **22**
Stanway Clo. *Bolt* —5B **22**
Stanworth Av. *Bolt* —5B **22**
Stapleford Clo. *Bolt* —1G **37**
Stapleford Gro. *Bury* —1H **25**
Staplehurst Clo. *Leigh* —5E **35**
Stapleton Av. *Bolt* —2E **21**
Starbeck Clo. *Bury* —1H **25**
Starcliffe St. *Bolt* —3H **31**
Starkie Rd. *Bolt* —4F **23**
(Tonge Fold)
Starkie Rd. *Bolt* —2F **23**
(Tonge Moor)
Star La. *Hor* —6B **8**
Starling Dri. *Farn* —6D **30**
Starling Rd. *Rad & Bury* —3G **25**
Station Av. *Bick* —6A **34**
Station Rd. *Blac* —2A **18**
Station Rd. *G'mnt* —6H **5**
Station Rd. *Kear* —6B **32**
Station Rd. *Swint* —6H **41**
Station Rd. *Tur* —3G **3**
Station St. *Bolt* —5D **22**
Staton Av. *Bolt* —3G **23**
Staveley Av. *Bolt* —3C **12**
Steele Gdns. *Bolt* —6A **24**
Stephenson St. *Hor* —1D **18**
Stephens St. *Bolt* —4H **23**
Sterratt St. *Bolt* —4B **22**
Stevenson St. *Swint* —6G **41**
Stevenson Sq. *Farn* —6E **31**
Stevenson St. *Wor* —4F **39**
Stewart Av. *Farn* —6F **31**
Stewart St. *Bolt* —1C **22**
Steynton Clo. *Bolt* —3F **21**
Stirling Rd. *Bolt* —4C **12**
Stirling Rd. *Hor* —4H **9**
Stitch Mi La. *Harw* —1A **24**
Stockbury Gro. *Bolt* —2D **22**
(off Lindfield Dri.)
Stockdale Gro. *Bolt* —2B **24**
Stockley Av. *Bolt* —1A **24**
Stocksfield Dri. *L Hul* —2D **38**

Stocks Pk. Dri. *Hor* —6E **9**
Stocks Pk. Ho. *Hor* —6E **9**
Stockton St. *Farn* —3G **31**
Stokesley Wlk. *Bolt* —1C **30**
(in two parts)
Stoneacre. *Los* —3H **19**
Stonebeck Ct. *W'houg* —5F **29**
Stonebridge Clo. *Los* —5C **20**
Stonechurch. *Bolt* —6B **22**
Stone Clo. *Ram* —3H **5**
Stones Bank Brow. *Eger* —2A **2**
Stonesteads Dri. *Brom X* —1E **13**
Stonesteads Way. *Brom X* —1E **13**
Stone St. *Bolt* —2F **23**
Stoneybank. *Rad* —6E **33**
Stoneycroft Av. *Hor* —5F **9**
Stoneycroft Clo. *Hor* —4F **9**
Stoney La. *Adl* —5C **6**
Stoneyside Av. *Wor* —3A **40**
Stoneyside Gro. *Wor* —3A **40**
Stonor Rd. *Adl* —2D **6**
Stonyhurst Av. *Bolt* —4C **12**
Stopes Rd. *L Lev & Rad* —2E **33**
Store St. *Hor* —5E **9**
Stott La. *Bolt* —2F **23**
Stourbridge Av. *L Hul* —1E **39**
Stowell Ct. *Bolt* —2C **22**
Stowell St. *Bolt* —2C **22**
Strand, The. *Hor* —6F **9**
Strangford St. *Rad* —1F **33**
Stratford Av. *Bolt* —2G **21**
Stratford Clo. *Farn* —4D **30**
Strathmore Rd. *Bolt* —2A **24**
Stratton Gro. *Hor* —4D **8**
Stratton Rd. *Pen* —6H **41**
Strawberry Hill Rd. *Bolt* —6F **23**
Stray, The. *Bolt* —5F **13**
Streetgate. *L Hul* —2D **38**
Street La. *Rad* —3G **25**
Stretton Rd. *Bolt* —1A **30**
Stretton Rd. *Ram & Bury* —5H **5**
Strines Clo. *Hind* —1A **34**
Stuart Av. *Hind* —4D **34**
Studley Ct. *Tyl* —6F **37**
Sudbury Dri. *Los* —5C **20**
Sudren St. *Bury* —6H **15**
Suffolk Clo. *Bolt* —6D **24**
Suffolk Clo. *Stand* —3A **16**
Sulby St. *Stone* —5D **32**
Summerfield La. *Tyl* —6H **37**
Summerfield Rd. *Bolt* —1F **31**
Summer Hill Clo. *Bolt* —3B **12**
Summerseat La. *Ram* —4H **5**
Summer St. *Hor* —5D **8**
Sumner Av. *Bolt* —2F **25**
Sumner St. *Asp* —6H **17**
Sumner St. *Ath* —4C **36**
Sumner St. *Bolt* —3H **29**
Sunadale Clo. *Bolt* —6H **21**
Sundridge Clo. *Bolt* —2G **29**
Sunleigh Rd. *Hind* —1A **34**
Sunlight Rd. *Bolt* —4A **22**
Sunningdale Av. *Rad* —6F **25**
Sunningdale Wlk. *Bolt* —6B **22**
Sunninghill St. *Bolt* —1B **30**
Sunny Bank. *Rad* —5C **32**
Sunnybank Rd. *Bolt* —1A **22**
Sunny Bower St. *Tot* —3G **15**
Sunny Garth. *W'houg* —5F **29**
Sunnymead Av. *Bolt* —5D **12**
Sunnyside Rd. *Bolt* —1A **22**
Sunnywood Dri. *Tot* —3H **15**
Sunnywood La. *Tot* —3H **15**
Surrey Clo. *L Lev* —1D **32**
Sussex Av. *Bolt* —1D **30**
Sussex Clo. *Clif* —5H **41**
Sussex Clo. *Hind* —2C **34**
Sussex Pl. *Tyl* —4G **37**
Sutcliffe St. *Bolt* —1C **22**
Sutherland Gro. *Farn* —5G **31**
Sutherland Rd. *Bolt* —2G **21**

Sutherland St. *Farn* —5G **31**
Sutherland St. *Swint* —6G **41**
Sutton La. *Adl* —1F **7**
Sutton Rd. *Bolt* —1F **29**
Swan La. *Bolt* —1B **30**
Swan La. *Hind* —3D **34**
Swan Rd. *G'mnt* —5H **5**
Sweetlove's Gro. *Bolt* —4C **12**
Sweetlove's La. *Bolt* —4C **12**
Swinside Rd. *Bolt* —3B **24**
Swinton Hall Rd. *Swint* —6H **41**
SWINTON STATION. *BR* —6H **41**
Swinton St. *Bolt* —4A **24**
Swithemby St. *Hor* —5C **8**
Sycamore Av. *Hind* —4B **34**
Sycamore Av. *Rad* —5H **33**
Sycamore Rd. *Bolt* —2F **29**
Sycamore Rd. *Tot* —4H **15**
Sycamores, The. *Rad* —1D **40**
Sycamore Wlk. *Hor* —1G **19**

Tabley Rd. *Bolt* —1H **29**
Tadmor Clo. *L Hul* —3D **38**
Talbenny Clo. *Bolt* —3F **21**
Talbot Av. *L Lev* —1C **32**
Talbot St. *Bolt* —5D **12**
Tamar Clo. *Kear* —2D **40**
Tamarin Clo. *Wdly* —6E **41**
Tamer Gro. *Leigh* —6E **35**
Tanner Brook Clo. *Bolt* —1C **30**
Tanners Brow. *Blac* —2A **18**
Tansley Clo. *Hor* —1E **19**
Tanworth Wlk. *Bolt* —4G **31**
Tarbet Dri. *Bolt* —4B **24**
Tarleton Av. *Ath* —2B **36**
Tarleton Clo. *Bury* —2H **25**
Tarleton Pl. *Bolt* —2G **29**
Tarn Gro. *Wor* —6B **40**
Tarvin Wlk. *Bolt* —1C **22**
Tattersall Av. *Bolt* —1E **21**
Taunton Av. *Leigh* —5F **35**
Taunton Clo. *Bolt* —2A **22**
Taunton Dri. *Farn* —4D **30**
Tavistock Rd. *Bolt* —5B **22**
Tavistock Rd. *Hind* —3C **34**
Tavistock St. *Ath* —3B **36**
Taylor Bldgs. *Kear* —1D **40**
Taylor Gro. *Bolt* —4E **35**
Taylor Rd. *Hind* —4E **35**
Taylor's La. *Bolt* —4C **24**
Taylor St. *Hor* —6D **8**
Taylor St. *Rad* —2H **33**
Tayton Clo. *Tyl* —6A **38**
Taywood Rd. *Bolt* —3D **28**
Teak Dri. *Kear* —3F **41**
Teal St. *Bolt* —1D **30**
Telford St. *Ath* —5A **36**
Telford St. *Hor* —1E **19**
Tellers Clo. *Ath* —4D **36**
Tempest Rd. *Los* —2B **28**
Tempest St. *Bolt* —1H **29**
Templecombe Dri. *Bolt* —3B **12**
Temple Dri. *Bolt* —6A **12**
Temple Rd. *Bolt* —6A **12**
Templeton Clo. *W'houg* —5G **27**
Tenby Av. *Bolt* —2G **21**
Tennis St. *Bolt* —4F **23**
Tennyson Av. *Rad* —1G **33**
Tennyson Rd. *Farn* —1F **39**
Tennyson Rd. *Swint* —6F **41**
Tennyson St. *Bolt* —2B **22**
Tennyson Wlk. *Bolt* —1C **30**
Tensing Av. *Ath* —2C **36**
Tern Av. *Farn* —5D **30**
Ternhill Ct. *Farn* —5H **31**
Tetbury Dri. *Bolt* —2B **24**
Thames St. *Asp* —5F **17**
Thaxted Pl. *Bolt* —3A **22**
Thelwall Av. *Bolt* —3H **23**
Thetford Clo. *Hind* —3A **34**
Thicketford Brow. *Bolt* —2H **23**
Thicketford Clo. *Bolt* —1G **23**
Thicketford Rd. *Bolt* —2F **23**
Third Av. *Bolt* —4H **21**
Third Av. *L Lev* —1B **32**
Third St. *Bolt* —5F **11**
Thirlmere Av. *Hor* —1E **19**
Thirlmere Clo. *Adl* —1F **7**

Thirlmere Dri. *L Hul* —2E **39**
Thirlmere Gro. *Farn* —5C **30**
Thirlmere Rd. *Blac* —6G **7**
Thirlmere Rd. *Bolt* —6F **29**
Thirlmere Rd. *Hind* —2A **34**
Thirlspot Clo. *Bolt* —3C **12**
Thirsk Rd. *L Lev* —2C **32**
Thistleton Rd. *Bolt* —2F **29**
Thomas Dri. *Bolt* —6B **22**
Thomas Holden St. *Bolt* —3B **22**
Thomas Moor Clo. *Kear* —1C **40**
Thomason Fold. *Tur* —1H **3**
Thomasson Clo. *Bolt* —2C **22**
Thomas St. *Ath* —4D **36**
Thomas St. *Bolt* —6B **22**
Thomas St. *Farn* —5A **32**
Thomas St. *Hind* —4D **34**
Thomas St. *Kear* —6A **32**
Thomas St. *W'houg* —2G **27**
Thompson Av. *Bolt* —2F **25**
Thompson Ho. *Ath* —4C **36**
Thompson Rd. *Bolt* —2H **21**
Thompson St. *Bolt* —6D **22**
Thompson St. *Hor* —6C **8**
Thoresby Clo. *Ram* —5H **5**
Thornbank E. *Bolt* —6A **22**
(off Deane Rd.)
Thornbank Est. *Bolt* —5A **22**
Thornbeck Dri. *Bolt* —2F **21**
Thornbeck Rd. *Bolt* —2F **21**
Thornbury Clo. *Bolt* —3C **22**
Thorncliffe Rd. *Bolt* —4C **12**
Thorndyke Av. *Bolt* —4C **12**
Thorne St. *Farn* —4G **31**
Thorneyholme Clo. *Los* —5C **20**
Thornfield Cres. *L Hul* —2D **38**
Thornfield Gro. *L Hul* —2D **38**
Thornfield Rd. *Tot* —2F **15**
Thornham Dri. *Bolt* —1E **13**
Thornhill Clo. *Bolt* —6A **12**
Thornhill Dri. *Wor* —6A **40**
Thorn Lea. *Bolt* —5H **13**
Thorn Lea Clo. *Bolt* —4F **21**
Thornley Av. *Bolt* —1A **22**
Thornmere Clo. *Wdly* —5E **41**
Thorns Av. *Bolt* —5C **12**
Thorns Clo. *Bolt* —6B **12**
Thorns Rd. *Bolt* —6B **12**
Thornstones. *W'houg* —5G **27**
Thorn St. *Bolt* —1D **22**
Thorn St. *Hind* —3A **34**
Thornton Av. *Bolt* —2F **21**
Thornton Clo. *Farn* —6F **31**
Thornton Clo. *L Lev* —2E **33**
Thornton St. *Bolt* —4E **23**
Thorn Well. *W'houg* —6G **27**
Thorpe Av. *Swint* —6G **41**
Thorpe St. *Bolt* —1B **22**
Thorpe St. *Wor* —3H **39**
Thorsby Clo. *Brom X* —1D **12**
Threlkeld Rd. *Bolt* —2B **12**
Thrush Av. *Farn* —5D **30**
Thurlestone Av. *Bolt* —2F **25**
Thurnham St. *Bolt* —2A **22**
Thursford Gro. *Blac* —2H **17**
Thurstane St. *Bolt* —1A **22**
Thynne St. *Bolt* —5D **22**
Thynne St. *Farn* —4G **31**
Tig Fold Rd. *Farn* —5C **30**
Tildsley St. *Bolt* —1C **30**
Tillington Clo. *Bolt* —6C **12**
Tilside Gro. *Los* —4B **20**
Timberbottom. *Bolt* —5G **13**
Timsbury Clo. *Bolt* —6B **24**
Tindle St. *Wor* —4B **40**
Tinsley Gro. *Bolt* —3F **23**
Tin St. *Bolt* —6C **22**
Tintagel Ct. *Rad* —6E **25**
Tintagel Rd. *Hind* —3C **34**
Tintern Av. *Bolt* —1F **23**
Tipton Clo. *Rad* —6E **25**
Tithe Barn Cres. *Bolt* —5F **13**
Tithe Barn St. *W'houg* —6A **27**
Tiverton Av. *Leigh* —5F **35**
Tiverton Clo. *Rad* —6E **25**
Tiverton Rd. *Bolt* —6B **24**
Tiverton Wlk. *Bolt* —2A **22**
Toddington La. *Haig* —3F **17**
Tollgreen Clo. *Hind* —6A **26**
Toll St. *Rad* —2D **32**

Tomlinson St. *Hor* —6D **8**
Tomlin Sq. *Bolt* —4G **23**
Tommy La. *Bolt* —2E **25**
Tonbridge Pl. *Bolt* —2F **23**
Tong Clough. *Brom X* —1D **12**
  (in two parts)
Tonge Bri. Way. *Bolt* —4F **23**
Tonge Bri. Way Ind. Est. Bolt
  (off Tonge Bri. Way) —4F **23**
Tonge Fold Cotts. *Bury* —4E **5**
Tonge Fold Rd. *Bolt* —4F **23**
Tonge Moor Rd. *Bolt* —2F **23**
Tonge Old Rd. *Bolt* —4G **23**
Tonge Pk. Av. *Bolt* —2G **23**
Tongfields. *Eger* —1D **12**
Tong Head Av. *Bolt* —5F **13**
Tong Rd. *L Lev* —1C **32**
Tong St. *Kear* —2D **40**
Topcliffe St. *Hind* —1B **34**
Top of Wallsuches. *Hor* —5H **9**
Top o' th' Gorses. *Bolt* —6G **23**
Topphome Ct. *Farn* —6A **32**
Toppings Grn. *Brom X* —2E **13**
Topping St. *Bolt* —2C **22**
Topp St. *Farn* —6A **32**
Topp Way. *Bolt* —3C **22**
Tor Av. *G'mnt* —6H **5**
Torbay Clo. *Bolt* —5A **22**
Tor Hey M. *G'mnt* —5H **5**
Torkington Av. *Pen* —6H **41**
Toronto St. *Bolt* —3A **24**
Torra Barn Clo. *Eger* —4C **2**
Torridon Rd. *Bolt* —4B **24**
Torrington Av. *Bolt* —1C **22**
Torrisdale Clo. *Bolt* —6H **21**
Torside Clo. *Hind* —1A **34**
Torver Dri. *Bolt* —3B **24**
Tottington Rd. *Bolt* —4A **14**
Tottington Rd. *Tur & Bury* —5B **4**
Tower Ct. *Tur* —3G **3**
Tower Dri. *Tur* —4G **3**
Towers Av. *Bolt* —1G **29**
Tower St. *Tur* —3G **3**
Towncroft La. *Bolt* —2E **21**
Townsend Rd. *Pen* —6H **41**
Townsfield Rd. *W'houg* —6G **27**
Toxhead Clo. *Hor* —6C **8**
Trafalgar Rd. *Hind* —2A **34**
Trafford Dri. *L Hul* —2F **39**
Trafford Gro. *Farn* —4A **32**
Trafford St. *Farn* —4H **31**
Travers St. *Hor* —2F **19**
Trawden Av. *Bolt* —1A **22**
Tredgold St. *Hor* —1E **19**
Tree Tops. *Brom X* —3G **13**
Treetops Av. *Ram* —4H **5**
Tregaron Gro. *Hind* —4C **34**
Trencherbone. *Rad* —6G **25**
Trent Dri. *Hind* —4E **35**
Trent Dri. *Wor* —5F **39**
Trentham Av. *Farn* —4G **31**
Trentham Clo. *Farn* —4G **31**
Trentham St. *Farn* —4G **31**
Trentham St. *Swint* —6G **41**
Trent Way. *Kear* —2D **40**
Trevarrick Ct. *Hor* —1G **19**
Trevor Av. *Bolt* —3B **30**
Trillo Av. *Bolt* —5F **23**
Trinity Cres. *Wor* —5A **40**
Trinity Retail Pk. *Bolt* —5E **23**
Trinity St. *Bolt* —2C **22**
Troon Clo. *Bolt* —2F **29**
Troutbeck Clo. *Hawk* —5D **4**
Tuckers Hill Brow. *Haig* —2F **17**
Tudor Av. *Bolt* —4H **21**
Tudor Av. *Farn* —6F **31**
Tudor Ct. *Bolt* —3C **22**
Tudor St. *Bolt* —1A **30**
Tulip Av. *Farn* —4E **31**
Tulip Av. *Kear* —1B **40**
Turdor Ct. *Ram* —3C **22**
Turf St. *Rad* —2H **33**
Turks Rd. *Rad* —6F **25**
Turnberry. *Bolt* —2F **29**
Turner Av. *Bick* —6A **34**
Turner Bri. Rd. *Bolt* —3G **23**
Turner St. *Bolt* —3E **23**
Turner St. *Hind* —4A **26**

Turner St. *W'houg* —2G **35**
Turnstone Rd. *Bolt* —5E **23**
Turton Av. *L Lev* —1C **32**
Turton Clo. *Bury* —3H **25**
Turton Heights. *Bolt* —3F **13**
Turton Heights. *Tur* —5B **4**
Turton Ho. *Bolt* —3D **22**
Turton Rd. *Bolt* —3F **13**
Turton Rd. *Tot* —5C **4**
Turton St. *Bolt* —3D **22**
Twisse Rd. *Bolt* —4B **24**
Two Brooks La. *Hawk* —5D **4**
Tyldesley Old Rd. *Ath* —5D **36**
Tyldesley Pas. *Ath* —6F **37**
Tyldesley Rd. *Ath* —5D **36**
Tyne Ct. *Wor* —4G **39**
Tynesbank. *Wor* —5G **39**
Tynesbank Old Farm. L Hul —4G **39**
  (off Tynesbank)

U

Uganda St. *Bolt* —3A **30**
Ulleswater Clo. *L Lev* —2B **32**
Ulleswater St. *Bolt* —1D **22**
Ullswater Dri. *Farn* —6C **30**
Ulundi St. *Rad* —2H **33**
Umberton Rd. *Bolt* —6F **29**
Underwood Ter. *Tyl* —6G **37**
Unicorn St. *Rad* —2G **33**
Union Rd. *Bolt* —1E **23**
Union St. *Bolt* —3D **22**
  (in two parts)
Union St. *Eger* —5B **2**
Union St. *Tyl* —6E **37**
  (Atherton)
Union St. *Tyl* —6F **37**
  (Tyldesley)
Unsworth Av. *Tyl* —6H **37**
Unsworth St. *Rad* —1H **33**
Unsworth St. *Tyl* —6H **37**
Upland Dri. *L Hul* —1D **38**
Up. Broom Way. *W'houg* —3A **28**
Upper Dri. *W'houg* —4A **28**
Up. George St. *Tyl* —6G **37**
Up. Lees Dri. *W'houg* —4A **28**
Up. Mead. *Eger* —6D **2**
Upton La. *Tyl* —6A **38**
Upton Rd. *Ath* —3E **37**
Upton Way. *Wals* —4H **15**
Uttley St. *Bolt* —1B **22**

V

Valdene Clo. *Farn* —6H **31**
Valdene Dri. *Farn* —6H **31**
Vale Av. *Hor* —6C **8**
Vale Av. *Rad* —6E **33**
Vale Coppice. *Hor* —6C **8**
Vale Cotts. *Hor* —1B **18**
Valentines Rd. *Ath* —6A **36**
Vale St. *Bolt* —4C **24**
Vale St. *Tur* —3H **3**
Valletts La. *Bolt* —2A **22**
Valley, The. *Ath* —4E **37**
Valley View. *Brom X* —2E **13**
Valpy Av. *Bolt* —6F **13**
Vantomme St. *Bolt* —5C **12**
Varley Rd. *Bolt* —1G **29**
Vauze Av. *Blac* —2H **17**
Vauze Ho. Clo. *Blac* —1H **17**
Venice St. *Bolt* —1A **30**
Ventnor Av. *Bolt* —6D **12**
Verbena Av. *Farn* —4E **31**
Verdure Av. *Bolt* —3E **21**
Vermont St. *Bolt* —3B **22**
Verne Av. *Swint* —6G **41**
Vernham Wlk. *Bolt* —1C **30**
Vernon Rd. *G'mnt* —6H **5**
Vernon St. *Bolt* —3C **22**
Vernon St. *Farn* —4A **32**
Vernon Wlk. *Bolt* —3C **22**
Vicarage Clo. *Adl* —1E **7**
Vicarage La. *Bolt* —6A **12**
Vicarage Rd. *Blac* —1G **17**
Vicarage Rd. *Wor* —3G **39**
Vicarage Rd. W. *Blac* —1G **17**
Vicarage St. *Bolt* —6B **22**
Vicker Clo. *Clif* —5H **41**
Vickerman St. *Bolt* —1B **22**
Vickers St. *Bolt* —6B **22**

Victoria Av. *Bick* —6A **34**
Victoria Clo. *Asp* —5F **17**
Victoria Ct. *Farn* —3G **31**
Victoria Ct. *Hor* —6E **9**
Victoria Gro. *Bolt* —2A **22**
Victoria Ho. *W'houg* —5H **27**
Victoria Rd. *Bolt* —4D **20**
Victoria Rd. *Hor* —6E **9**
Victoria Rd. *Kear* —1C **40**
Victoria Sq. *Bolt* —4D **22**
Victoria Sq. *Wor* —4H **39**
Victoria St. *Ain* —2E **25**
Victoria St. *Blac* —1H **17**
Victoria St. *Farn* —3F **31**
Victoria St. *Plat B* —5F **17**
Victoria St. *Rad* —2H **33**
Victoria St. *Tot* —2G **15**
Victoria St. *W'houg* —5H **27**
Victoria Vs. *Bolt* —2A **22**
Victory Rd. *L Lev* —1C **32**
Victory St. *Bolt* —3A **22**
  (in two parts)
Victory Trad. Est. *Bolt* —6E **23**
View St. *Bolt* —6B **22**
Vigo Av. *Bolt* —2H **29**
Viking St. *Bolt* —1E **31**
Vincent Ct. *Bolt* —2C **30**
Vincent St. *Bolt* —5B **22**
Vine St. *Hind* —1A **34**
Vine St. *Ram* —3H **5**
  (in two parts)
Viola St. *Bolt* —6C **12**
Violet Av. *Farn* —4E **31**
Virginia Ho. *Farn* —6H **31**
Virginia St. *Bolt* —1H **29**

W

Waddington Clo. *Bury* —1G **25**
Waddington Rd. *Bolt* —2G **21**
Wade Bank. *W'houg* —5H **27**
Wadebridge Clo. *Bolt* —2E **23**
Wadebridge Dri. *Bury* —1H **25**
Wade St. *Bolt* —2D **30**
Wadsley St. *Bolt* —3C **22**
Waggon Rd. *Bolt* —2H **23**
Wagner St. *Bolt* —6B **12**
Wakefield Dri. *Clif* —2F **41**
Waldeck St. *Bolt* —3A **22**
Waldon Clo. *Bolt* —1A **32**
Walkdene Dri. *Wor* —4F **39**
Walkden Rd. *Wor* —5H **39**
Walkdens Av. *Ath* —5A **36**
WALKDEN STATION. *BR* —5H **39**
Walker Av. *Bolt* —3A **22**
Walker Clo. *Kear* —1C **40**
Walker Fold Rd. *Bolt* —6C **10**
Walkers Ct. *Farn* —5H **31**
Walker St. *Bolt* —5B **22**
Walker St. *W'houg* —5G **27**
Walk, The. *Ath* —4D **36**
Walkway, The. *Bolt* —6F **21**
  (in two parts)
Wallbank St. *Tot* —2H **15**
Wallbrook Cres. *L Hul* —1E **39**
Wallbrook Gro. *Farn* —3F **31**
Walleach Fold Cotts. *Tur* —1A **4**
Walley St. *Bolt* —6C **12**
Walls St. *Hind* —5E **35**
Wallsuches La. *Hor* —5G **9**
Wallwork St. *Rad* —1H **33**
Walmer Rd. *Hind* —2C **34**
Walmley Gro. *Bolt* —2A **30**
Walnut Clo. *Clif* —3F **41**
Walnut St. *Bolt* —6D **12**
Walshaw Brook Clo. *Bury* —5H **15**
Walshaw La. *Bury* —5H **15**
Walshaw Rd. *Bury* —5H **15**
Walshaw Wlk. *Tot* —4H **15**
Walshaw Way. *Tot* —4H **15**
Walsh Ho. Ath —3D **36**
  (off Brooklands Av.)
Walsh St. *Hor* —5D **8**
Walter Scott Av. *Wig* —6A **16**
Walter St. *Rad* —4H **25**
Walter St. *Wor* —5H **39**
Waltham Gdns. *Rad* —1G **33**
Walton Ct. *Bolt* —1D **30**
Walton Pl. *Kear* —6A **32**

Walton St. *Adl* —3E **7**
Walton St. *Ath* —3E **37**
Walworth Clo. *Rad* —5E **33**
Walworth St. *Bolt* —1A **30**
Wapping St. *Bolt* —1B **22**
Warbeck Clo. *Hind* —4A **34**
Warbreck Clo. *Bolt* —4B **24**
Warburton Pl. *Ath* —4D **36**
Warburton St. *Bolt* —1D **22**
Wardend Clo. *L Hul* —1E **39**
Warden's Bank. *W'houg* —2G **35**
Wardle Clo. *Rad* —6G **25**
Wardle St. *Bolt* —6F **23**
Wardley Av. *Wor* —4F **39**
Wardley Hall Rd. *Wor & Wdly* —6D **40**
Wardley Ind. Est. *Wor* —6D **40**
Wardley Rd. *Tyl* —6B **38**
Wardley Sq. *Tyl* —6B **38**
Wardlow St. *Bolt* —1H **29**
Wardour St. *Ath* —5C **36**
  (in two parts)
Ward St. *Hind* —6A **26**
Wareing St. *Tyl* —6F **37**
Wareing Way. *Bolt* —5C **22**
Warland Clo. *Leigh* —6F **35**
Warren Clo. *Ath* —2E **37**
Warren Rd. *Wor* —4A **40**
Warton Clo. *Bury* —2H **25**
Warwick Av. *Wdly* —5F **41**
Warwick Clo. *G'mnt* —6H **5**
Warwick Dri. *Hind* —1B **34**
Warwick Gdns. *Bolt* —3H **29**
Warwick Rd. *Asp* —6G **17**
Warwick Rd. *Ath* —2B **36**
Warwick Rd. *Rad* —5H **25**
Warwick Rd. *Tyl* —5G **37**
Warwick Rd. *Wor* —6G **39**
Warwick St. *Adl* —3D **6**
Warwick St. *Bolt* —5C **12**
Warwick St. *Pen* —6H **41**
Wasdale Av. *Bolt* —2B **24**
Washacre. *W'houg* —6H **27**
Washacre Clo. *W'houg* —6H **27**
Washbrook Av. *Wor* —6F **39**
Washburn Clo. *W'houg* —3H **27**
Washington St. *Bolt* —5A **22**
Washwood Clo. *L Hul* —1F **39**
Watergate Dri. *Bolt* —6A **30**
Water Ga. *Bolt* —5A **30**
Water La. *Kear* —6A **32**
Water La. *Rad* —1H **33**
Water La. St. *Rad* —2H **33**
  (in two parts)
Waterloo St. *Bolt* —2D **22**
Watermans Clo. *Hor* —6E **9**
Watermillock Gdns. *Bolt* —5D **12**
Waters Edge. *Farn* —3E **31**
Watersedge. *Wor* —5B **40**
Waterside. *Bolt* —6G **23**
Waterslea Dri. *Bolt* —3F **21**
Watersmead Clo. *Bolt* —1D **22**
Waters Meeting Rd. *Bolt* —6D **12**
Water's Nook Rd. *W'houg* —5A **28**
Water St. *Ath* —4D **36**
Water St. *Bolt* —4D **22**
Water St. *Eger* —5B **2**
Water St. *Rad* —2H **33**
Watford Clo. Bolt —1C **22**
  (off Chesham Av.)
Watkinson's Yd. *W'houg* —4G **27**
Watling St. *Aff* —5B **4**
Watling St. *Bury* —2H **25**
Watson Rd. *Farn* —5D **30**
Watson St. *Rad* —1H **33**
Watson St. *Swint* —6H **41**
Watts St. *Hor* —1E **19**
Waverley Av. *Kear* —1B **40**
Waverley Rd. *Bolt* —6C **12**
Waverley Rd. *Wor* —6F **39**
Waverley Sq. *Farn* —1G **39**
Wavertree Av. *Ath* —2C **36**
Wavertree Ho. Bolt —3C **22**
  (off School Hill)
Wayfaring. *W'houg* —3H **27**
Wayoh Croft. *Tur* —1H **3**
Wayside Gro. *Wor* —3A **40**
Wealdstone Gro. *Bolt* —1F **23**
Wearish La. *W'houg* —2E **35**

Woodland View—Zetland Av.

Woodland View. *Brom X* —1F **13**
Woodside Av. *Wor* —5B **40**
Woodside Pl. *Bolt* —6G **23**
Woods Lea. *Bolt* —4F **21**
Woodsleigh Coppice. *Bolt* —5F **21**
Woodsley Rd. *Bolt* —1F **21**
Woods Rd. *Asp* —6G **17**
Woodstock Dri. *Bolt* —2G **21**
Woodstock Dri. *Tot* —2F **15**
Wood St. *Ath* —3B **36**
Wood St. *Bolt* —4D **22**
Wood St. *Farn* —3H **31**
Wood St. *Hind* —4D **34**
Wood St. *Hor* —6E **9**
Wood St. *Rad* —5G **33**
Wood St. *Tyl* —6H **37**
Wood St. *W'houg* —5G **27**
Wood Ter. *Ain* —2F **25**
Woodvale Av. *Asp* —2B **26**
Woodvale Av. *Ath* —2B **36**
Woodvale Av. *Bolt* —3B **30**
Woodvale Dri. *Bolt* —3B **30**
Woodvale Gdns. *Bolt* —3B **30**
Woodvale Gro. *Bolt* —3B **30**
Woodwards Rd. *W'houg* —1H **35**

Woolden St. *Swint* —5G **41**
Woolston Dri. *Tyl* —6A **38**
Worcester Av. *Hind* —1B **34**
Worcester Rd. *L Lev* —2B **32**
Worcester Rd. *Wdly* —5F **41**
Worcester St. *Bolt* —2C **22**
Wordsworth Av. *Ath* —3D **36**
Wordsworth Av. *Farn* —6F **31**
Wordsworth Av. *Rad* —1G **33**
Wordsworth Rd. *L Hul* —2F **39**
Wordsworth Rd. *Swint* —6F **41**
Wordsworth St. *Bolt* —2B **22**
Worrell Clo. *Rad* —1H **33**
Worsbrough Av. *Wor* —5G **39**
Worsel St. *Bolt* —1A **30**
Worsley Av. *Wor* —4E **39**
Worsley Gro. *Wor* —5E **39**
Worsley Rd. *Bolt* —1G **29**
Worsley Rd. *Farn* —1H **39**
Worsley Rd. N. *Wor* —2H **39**
Worsley St. *Pen* —5H **41**
Worsley St. *Tot* —2G **15**
Worston Av. *Bolt* —6F **11**
Worthing Gro. *Ath* —4B **36**
Worthington Fold. *Ath* —4B **36**

Worthington St. *Bolt* —2A **30**
Wrath Clo. *Bolt* —4F **13**
Wrenbury Dri. *Bolt* —3D **12**
Wren Clo. *Farn* —5D **30**
Wrigglesworth Clo. *Bury* —6H **15**
Wright St. *Hor* —5D **8**
Wright St. *Rad* —2H **33**
Wroe St. *Pen* —4H **41**
Wykeham M. *Bolt* —4G **21**
Wyndham Av. *Bolt* —3G **29**
Wyndham Av. *Clif* —4H **41**
Wynne Av. *Clif* —4H **41**
Wynne St. *Bolt* —1C **22**
Wynne St. *L Hul* —3E **39**
Wynne St. *Tyl* —6F **37**
Wyresdale Rd. *Bolt* —3A **22**
Wythall Av. *L Hul* —1F **39**
Wythburn Av. *Bolt* —2G **21**

Yarrow Gro. *Hor* —5D **8**
Yarrow Pl. *Bolt* —2B **22**
Yates Dri. *Wor* —4E **39**
Yates St. *Bolt* —2E **23**
Yealand Gro. *Hind* —2C **34**

Yellowbrook Clo. *Asp* —5G **17**
Yellow Lodge Dri. *W'houg* —4B **28**
Yew Clo. *Bolt* —1H **29**
Yewdale Av. *Bolt* —1B **24**
Yewdale Gdns. *Bolt* —1B **24**
Yew Tree Av. *Ath* —3C **36**
Yew Tree Dri. *Los* —5B **20**
Yew Tree La. *Bolt* —4E **13**
York Av. *L Lev* —2C **32**
York Av. *Swint* —5F **41**
York Av. *Tyl* —5F **37**
York Pl. *Adl* —1E **7**
York Rd. *Hind* —1B **34**
York St. *Farn* —5A **32**
York St. *Ath* —4D **36**
York Ter. *Bolt* —1C **22**
Young St. *Farn* —6A **32**
Young St. *Rad* —6H **25**

Zetland Av. *Bolt* —3H **29**
Zetland Av. N. *Bolt* —3H **29**